Dedico este livro a

_____

Que você aprenda ferramentas para controlar seu estresse.
Sem controlá-lo, ricos mendigam o pão da alegria,
Profissionais competentes sabotam sua criatividade,
Casais asfixiam o amor e se separam no inferno dos atritos,
Crianças e adolescentes deixam de se aventurar e se reinventar,
Educadores esgotam sua paciência e sua capacidade de encantar,
Se não controlamos o estresse, nos tornamos carrascos de nós mesmos.

_____ __/__/__

ANSIEDADE 2

AUGUSTO CURY

ANSIEDADE 2
AUTOCONTROLE
Como controlar o estresse e manter o equilíbrio

Benvirá

Copyright © Augusto Cury, 2016.

Preparação Augusto Iriarte
Revisão Laila Guilherme e Tulio Kawata
Diagramação Caio Cardoso
Capa Graziella Iacocca
Imagem de capa Fotosearch/Stock Photos
Impressão e acabamento Gráfica Eskenazi

Dados Internacionais de Catalogação na Publicação (CIP)
Angélica Ilacqua CRB-8/7057

Cury, Augusto
Ansiedade 2 : autocontrole – Como controlar o estresse e manter o equilíbrio / Augusto Cury. – São Paulo : Benvirá, 2016.
192 p.
ISBN: 978-85-5717-043-8
1. Ansiedade 2. Estresse (Psicologia) I. Título

                              CDD 152.46
16-0532   CDU 616.89-008.441

Índices para catálogo sistemático:
1. Ansiedade

1ª edição, 2016 | 14ª tiragem, novembro de 2021

Nenhuma parte desta publicação poderá ser reproduzida por qualquer meio ou forma sem a prévia autorização da Saraiva Educação. A violação dos direitos autorais é crime estabelecido na lei n. 9.610/98 e punido pelo artigo 184 do Código Penal.

Todos os direitos reservados à Benvirá, um selo da Saraiva Educação.
Av. Paulista, 901 – 3º andar
Bela Vista – São Paulo – SP – CEP: 01311-100

SAC: sac.sets@saraivaeducacao.com.br

CÓDIGO DA OBRA | 16317   CL | 670316   CAE | 602859

Agradecimentos

Agradeço a todas as pessoas que têm viajado para dentro de si mesmas e utilizado as ferramentas para ser minimamente autoras de sua história.

Aproveito para agradecer a todos que assistirão ao filme *O vendedor de sonhos*, grande lançamento da Warner e da Fox, nas telas do cinema em 22 de dezembro de 2016. O protagonista de *O vendedor de sonhos* aprendeu, tal como você verá neste livro, que ser feliz não é ter uma vida perfeita, mas usar as lágrimas para irrigar a sabedoria, as crises para repensar a nossa história e as perdas para escrevermos os capítulos mais importantes de nossa vida quando o mundo desaba sobre nós.

A Somos Educação e eu agradecemos a todas as pessoas que se preocupam com o aquecimento global e com a formação de líderes na juventude mundial e que, por isso, estão divulgando e adotando os livros da série "Petrus Logus" (*Petrus Logus – O guardião do tempo* e *Petrus Logus – Os inimigos da humanidade*).

Sumário

Prefácio 13

1 | Mentes estressadas 17

    Esquecendo-se de si 17

    Observe seu nível de estresse. Escute-se! 20

    Ansiedade saudável e ansiedade doentia 22

    Diferença entre estresse e ansiedade 27

2 | Compreendendo os bastidores da mente humana: mecanismos normais e doentios 31

    Gatilho da memória: copiloto da aeronave mental 31

    O fenômeno do autofluxo: fonte de entretenimento 39

    Janelas da memória: armazéns de informação 41

3 | O estresse causado pela aceleração do pensamento.. 47

    Mentes agitadas 47

    Assassinos da emoção 49

Cérebro estressado reage; cérebro tranquilo pensa 51
As causas da SPA 54

4 | Consequências graves da falta de controle
do estresse 61
Erro de diagnóstico 71

5 | Ferramentas para controlar o estresse 77
Seja transparente no território da emoção 79
Uma mente estressada e desconcentrada:
minha história 80
Minha ruína 83
Virando o jogo: o casamento do sonho com a disciplina.....84
Líderes são testados no estresse..87

6 | Sonhos e desejos: as diferenças vitais...................... 91
A emoção estável...91
Quem nasce em berço de ouro tem desvantagem
competitiva..93
Formando sucessores: transmitir a biografia,
eis a questão 95

7 | Eu: o grande gestor do estresse............................... 99
Sem gestão da psique, não há metas claras 99
Estatísticas chocantes 100
Ganhos relevantes..103
Paradoxos de um Eu imaturo 105
Vilões da saúde emocional..107
O incrível sonho de Beethoven 109

8 | Drogas e fobias: combustíveis para o estresse 111
    Drogas sabotam os sonhos 111
    Fobias: um algoz estressante 116

9 | Todas as escolhas implicam perda 121
    Um grande sonhador: o destino não é inevitável 124

10 | A dor nos destrói ou nos constrói 127
    A dor se tornou minha notável mestra 127
    Procure dentro de si o seu próprio endereço 130
    Um passaporte para a mais fascinante viagem 133
    No caos nascem os grandes sonhos 136
    Todos têm sua genialidade 142

11 | Resiliência e o gerenciamento do estresse 145
    Cuidado com a autopunição! 145
    Prepare-se para as intempéries da vida 151

12 | O mestre dos mestres no gerenciamento do estresse 155
    O mais excelente mestre da emoção 155

13 | A vida: um espetáculo de prazer ou de estresse 167
    Viver é um contrato de risco 167
    O drama e o lírico: exemplos de líderes que não se curvaram ao caos 169
    Surdos para as súplicas de um cérebro estressado 172
    Máquinas de pensar e trabalhar, acordai-vos! 176

Referências bibliográficas 181

Prefácio
O impacto do estresse

O livro *Ansiedade – Como enfrentar o mal do século* tornou-se um dos mais lidos deste século no país. As pessoas compreenderam que pensar é bom, mas pensar demais, sem gerenciamento, é uma bomba para a saúde emocional. A Síndrome do Pensamento Acelerado atinge crianças, adolescentes e adultos do mundo todo de forma "epidêmica".

Neste novo volume continuaremos a falar sobre os vários transtornos ligados à ansiedade, como fobias, ciúmes, esgotamento do planeta emoção, e falaremos também sobre autocontrole.

Hoje, crianças de sete anos têm mais informações do que imperadores romanos ou filósofos na Grécia Antiga, o que as leva a ter uma agitação mental sem precedentes, que inclusive simula sintomas de hiperatividade e tem confundido profissionais no mundo todo, levando-os a receitar, erroneamente, drogas da obediência. É preciso ensiná-las a ter autocontole. Adolescentes correm o risco de não apenas se viciar em drogas, mas também nas redes sociais – ficar um dia sem acessar o celular leva-os a ter crises de ansiedade; além disso, têm baixo limiar para frustração, por isso precisam aprender a ter autocontrole. Adultos sofrem por antecipação ou ruminam perdas e mágoas. Eles também precisam aprender com urgência a trabalhar ferramentas para serem gestores de sua mente. Caso contrário, aprisionados pelo medo do futuro ou pelas decepções do passado, eles infectarão o presente, que é o único tempo em que se é possível ter uma mente livre, uma emoção saudável e ser verdadeiramente feliz e relaxado.

O pior escravo não é aquele algemado por fora, mas aquele que não é livre por dentro. O pior prisioneiro não é o que está encarcerado em presídios de segurança máxima, mas o que está encarcerado em sua própria mente. O pior miserável não é o que está endividado, mas o que mendiga o pão da alegria. A pessoa mais pressionada não é a que tem grandes metas no trabalho, mas a que é implacável consigo mesma, incapaz de relaxar e rir de sua estupidez, de sua incoerência e de suas fobias.

Antes de uma empresa falir, seus executivos perdem a capacidade de se reinventar. Antes de a relação entre casais, entre pais e filhos, entre líderes e liderados entrar em decadência, a gestão do estresse das partes foi à bancarrota. Antes de o corpo entrar em colapso, o cérebro grita seu esgotamento.

Um indivíduo pode gerir com eficiência uma empresa com milhares de colaboradores e, ao mesmo tempo, gerir desastrosamente sua mente, sendo refém do passado, sofrendo pelo futuro, cobrando excessivamente de si, supervalorizando os detalhes, sendo hipersensível a críticas, falatórios, rumores. Gerir a mente é, acima de tudo, protegê-la; entretanto, para protegê-la, é necessário colocar o controle do estresse nos patamares mais altos das prioridades.

Pesquisas internacionais revelam que, na atualidade, mais de 70% das pessoas estão estressadas, asfixiando sua saúde psíquica, sua inventividade, sua ousadia, sua flexibilidade, sua capacidade de dar respostas inteligentes sob tensão. Viver estressado, entrincheirado, em estado contínuo de alerta nos leva a reagir rápida e impensadamente.

Jamais se esqueça de que uma pessoa dosada tem mais capacidade de contribuir para formar mentes maduras. Uma pessoa bem resolvida e relaxada tem mais possibilidade de fazer os outros felizes e saudáveis. Por outro lado, uma pessoa ansiosa tem mais chances de deixar agitados todos os que a rodeiam. Uma pessoa emocionalmente estressada tem mais chances de estressar a quem ama. Educadores que não sabem lidar com a frustração adoecem sua escola; pais agitados enfermam sua família; líderes impacientes asfixiam a sustentabilidade de sua empresa; jovens irritadiços sabotam seu futuro ao querer tudo rápido e pronto.

Augusto Cury,
maio de 2016

1

Mentes estressadas

Esquecendo-se de si

Você é dominado por uma mente agitada e hiperpensante? O que faz com seus pensamentos perturbadores? Como lida com a ruminação de mágoas ou culpas? Como reage diante dos fantasmas que assombram sua emoção, como fobias, ciúmes, preocupação excessiva com a opinião dos outros e com o futuro?

Em meu livro *Holocausto nunca mais*, descrevo os bastidores da Segunda Guerra Mundial, as necessidades neuróticas que controlavam Adolf Hitler e os horrores dos campos de concentração. Mas o que não percebemos é que na atualidade há um campo de concentração na mente humana, construído pelo sistema social e, em destaque, por nós mesmos, o qual nos encarcera, aterroriza e esgota. Você é verdadeiramente livre no território de sua emoção ou vive apreensivo, atolado na lama das preocupações? Para você,

> Não é possível controlar o estresse e encontrar o mínimo de equilíbrio emocional se você se abandona pelo caminho.

O futuro é um jardim de oportunidades ou um campo de estresse que o faz sofrer por antecipação? Não é possível controlar o estresse e encontrar o mínimo de equilíbrio emocional se você se abandona pelo caminho.

Excelentes médicos, psicólogos, professores, executivos, juristas e outros profissionais são ótimos em cuidar de suas instituições, mas podem ser péssimos em cuidar da própria saúde emocional. Nunca se preocuparam em proteger sua memória, administrar seus pensamentos, gerenciar sua emoção e seu estresse. Não entendem que, se a sociedade os abandonar, ferir ou caluniar, ainda será possível seguir em frente; mas, se eles mesmos se desampararem, não haverá solo onde pisar.

Vivemos comprimidos, espremidos entre dezenas, centenas, milhares de pessoas em escolas, empresas, congressos, feiras, reuniões e, no entanto, nunca fomos tão solitários. Estamos próximos, porém muito distantes uns dos outros. Abraçamos nossos filhos, alunos, parceiros, colaboradores, mas não nos interessamos em conhecer suas camadas mais profundas.

A maioria dos pais jamais conversou com os filhos sobre os bastidores de sua mente, os fantasmas que os assombram, os medos que sequestram sua tranquilidade, as lágrimas que nunca tiveram coragem de chorar.

Inúmeros casais já prometeram, diante de um religioso, que se amariam para sempre, na saúde e na doença, na pobreza e na riqueza. Nada tão belo e ao mesmo tempo tão ingênuo. Esqueceram-se de prometer que cobrariam menos e abraçariam mais um ao outro, que criticariam menos e elogiariam mais. Não entenderam que o amor precisa ser inteligente para ter estabilidade. Amaram segundo a poesia de Vinicius de Moraes: "Que seja eterno enquanto dure", sem compreender que pautar um romance só na emoção significa ter um amor insustentável.

A gestão da emoção e o gerenciamento do estresse clamam por outra tese, mais penetrante e profunda: "Que o amor seja eterno enquanto se cultive". Dialogar sem medo e barreira, promover, inspirar, ser bem-humorado, não ter a necessidade neurótica de mudar o outro são formas inteligentes de cultivar o amor. Sem admiração mútua, mesmo o romance mais ardente se torna uma fonte de estresse, e não de prazer. E o mais importante: um ser humano não deve se relacionar com outro para ser feliz; ele precisa ser feliz e bem resolvido primeiro, para depois irrigar a saúde psíquica e a relação com quem ama.

Mas a mais insidiosa solidão é aquela em que nos calamos sobre nós mesmos. Analise se você se questiona, se penetra a essência de sua personalidade ou se, ao contrário, vive na superfície de seu planeta psíquico.

> Sem admiração mútua, mesmo o romance mais ardente se torna uma fonte de estresse, e não de prazer.

Observe seu nível de estresse. Escute-se!

Não admitimos uma torneira pingando, ficamos incomodados com paredes trincadas; se nosso carro apresenta um simples barulho, logo arrumamos tempo para levá-lo ao mecânico. Somos ótimos em reparar em defeitos externos, porém lentos e irresponsáveis em reparar em defeitos internos, nos meandros de nossa mente. Não percebemos os gritos dramáticos que são sintomas psicossomáticos de uma mente estressada. Tardamos em nos mapear.

Durante anos, nosso corpo grita através da fadiga excessiva, da insônia, da compulsão por comida, das dores musculares e de cabeça, mas nos mantemos indiferentes, não nos preocupamos em gerenciar nosso estresse. Colocamo-nos no último lugar em nossa lista de prioridades. Algumas pessoas só escutam a voz dos sintomas quando dão entrada num hospital, quando enfartam, quando já se tornaram vítimas de um câncer, de um colapso nervoso ou de um transtorno emocional.

Milhões de pessoas só percebem as consequências de terem sido jovens emocionalmente inquietos depois que se tornam adultos frustrados, irritadiços, com baixa capacidade para suportar contrariedades e lutar por seus sonhos. Casais só conseguem perceber a falência da relação quando já perderam o respeito, o bom humor e a capacidade de admirar um ao outro. Profissionais só constatam as consequências da ansiedade crônica depois que já se tornaram ultrapassados, perderam a capacidade de se aventurar, de se reinventar e de pensar em novas possibilidades, enfim, quando já foram sequestrados pelo medo do futuro.

Por falar em sequestro, no teatro social, as pessoas mais passíveis de serem sequestradas são as abastadas, ricas, famosas. No entanto, no teatro psíquico, todo ser humano, seja rico ou miserável, celebridade ou anônimo, intelectual ou iletrado, é passível de ser sequestrado – sequestrado pelo estresse, pelas fobias, pelo humor depressivo, pela impulsividade, pelo sentimento de culpa, pela autocobrança, pela necessidade neurótica de se preocupar com os outros.

Você se permite ser sequestrado por seus pensamentos? Seja inteligente: respeite-se, opte pela vida! Mas não se puna se até hoje você foi ótimo para os outros e péssimo para si. Reinvente-se.

Ansiedade saudável e ansiedade doentia

Ansiedade é um estado de tensão que nos impele, motiva, anima, provoca reações. Portanto, a ansiedade é primordialmente saudável. Sem ela, teríamos uma mente engessada, encarcerada pela mesmice, vítima do tédio. Não teríamos a curiosidade, o prazer de explorar, de correr riscos, de construir novas relações.

Quando, então, a ansiedade se torna doentia? Quando assume sintomas psíquicos negativos contínuos e intensos, como irritabilidade, humor depressivo, angústia, baixo limiar para frustrações, fobias, preocupações crônicas, apreensão contínua, obsessão, velocidade exacerbada dos pensamentos.

Existem vários tipos de ansiedade: fobias, síndrome do pânico, transtorno obsessivo compulsivo (TOC), transtorno de ansiedade generalizada (TAG), síndrome de burnout (estresse profissional), síndrome do pensamento acelerado (SPA), síndrome do padrão inalcançável de beleza (PIB) etc.

> A ansiedade é primordialmente saudável. Sem ela, teríamos uma mente engessada, encarcerada pela mesmice, vítima do tédio.

Em todos os tipos de ansiedade, existe a participação de fenômenos inconscientes que constroem pensamentos; esses fenômenos são os engenheiros dos vários tipos de ansiedade. Infelizmente, eles não foram estudados sistematicamente pelos grandes pensadores da psicologia, da sociologia, da pedagogia e da filosofia, como Piaget, Freud, Jung, Vygotsky, Fromm, Skinner, Sartre, Hegel, Kant.

No entanto, tais fenômenos foram estudados ao longo de mais de trinta anos, dentro da Teoria da Inteligência Multifocal (TIM). Uma das dificuldades mais complexas da psicologia é entender que a construção de pensamentos é um processo multifocal, e não unifocal. De acordo com a Teoria da Inteligência Multifocal, não construímos pensamentos apenas porque queremos, como uma decisão do Eu (que representa nossa capacidade de escolha e a consciência crítica); existe também uma rica produção de pensamentos promovida por fenômenos inconscientes: o gatilho da memória, o autofluxo e as janelas da memória.

Se o Eu tivesse plena liberdade para pilotar o veículo mental, não seria um masoquista, não sofreria por antecipação, não ficaria pensando em seus desafetos, não gravitaria na órbita das preocupações. Entretanto, o Eu não está sozinho na aeronave mental. Há copilotos que o ajudam a dirigi-la. E, sem os copilotos, não seríamos uma espécie pensante, complexa, imaginativa; por outro lado, por causa deles, somos uma espécie sujeita a muitos cárceres, mais numerosos do que os presídios construídos na sociedade.

Por exemplo, sem o gatilho da memória e as janelas da memória, você não entenderia uma palavra deste livro. A cada passada de olhos, o gatilho dispara no córtex cerebral inúmeras janelas ou arquivos, que se abrem e checam milhões de dados para que você entenda cada verbo, substantivo, pronome. Não é o Eu, o piloto, que realiza essa magna e fina tarefa, mas os copilotos.

Todavia, se o gatilho encontra uma janela killer ou traumática, que contém fobias, ele fecha o circuito da memória, levando o ser humano a entrar em crise, por exemplo, ao falar em público (fobia social), ao sair de casa (agorafobia), ao se ver em lugares fechados (claustrofobia) ou diante de novas tecnologias (tecnofobia). A construção multifocal de pensamentos torna o *Homo sapiens* mentalmente sofisticado, inclusive para construir presídios mentais de segurança máxima.

Se o Eu não produzir pensamentos numa direção lógica, os demais fenômenos poderão fazê-lo, provocando diversos níveis e tipos de ansiedade, dependendo da qualidade ou da velocidade dos pensamentos produzidos. Apesar de depender dos atores coadjuvantes, o Eu é, ou deveria ser, o gestor global de nossa mente. O grande desafio do Eu é educar-se para gerenciar a ansiedade, iniciada pelos fenômenos inconscientes que nutrem preocupações, obsessões, tristeza, pessimismo, pensamento acelerado. Sua grande meta é sair

> *O grande desafio do Eu é educar-se para gerenciar a ansiedade, iniciada pelos fenômenos inconscientes que nutrem preocupações, obsessões, tristeza, pessimismo, pensamento acelerado.*

da plateia, da condição de espectador passivo, e subir ao palco para dirigir seu *script*, ter autocontrole, pensar antes de reagir, abrir as janelas para dar respostas inteligentes.

A ansiedade doentia se manifesta em quatro grandes áreas:

1. Genética/metabólica: neurotransmissores e outras substâncias, incluindo drogas psicotrópicas, alteram o metabolismo cerebral, excitando o território da emoção e gerando agitação mental (hiperatividade), tensão, irritabilidade ou, em alguns casos, lentidão, letargia, alienação. Esse tipo de ansiedade, por ser metabólica, é o único que não tem origem direta ou indireta na atuação do Eu ou dos fenômenos inconscientes que leem a memória e constroem pensamentos e emoções.
2. Personalidade: privações, abusos, fobias, perdas, frustrações, traições, inveja, ciúme, timidez, sentimento de incapacidade. Todos esses fenômenos têm a

participação do Eu e dos fenômenos inconscientes. Por exemplo, uma traição, registrada pelo fenômeno do Registro Automático da Memória (RAM), forma uma janela traumática; essa janela será, no futuro imediato, acessada pelo fenômeno do gatilho da memória, fixada pela âncora da memória, retroalimentada pelo autofluxo e provavelmente nutrida pelo Eu.

3. Socioprofissional: excesso de trabalho, pressões, cobranças, metas inalcançáveis, ofensas, medo do futuro, crise política, dificuldades financeiras, pressão nas provas escolares. Vivemos frequentemente em famílias ansiosas, empresas ansiosas, escolas ansiosas.
4. Estilo de vida moderno: trabalho intelectual intenso, excesso de informações, tempo prolongado diante da TV, excesso de preocupação, excesso de uso de *smartphones* e de internet, consumismo, necessidade neurótica de poder, de evidência social, de se preocupar com a estética. Não é necessário que tenhamos vivenciado traumas na infância para desenvolver conflitos quando adultos. O próprio estilo de vida moderno é altamente ansioso e estressante.

Mas em que universidade os alunos treinam seu Eu para dirigir o veículo mental? Formamos médicos, engenheiros, advogados, mas não formamos gestores da psique.

Mesmo que você nunca tenha atuado num palco de teatro, pode e deve atuar no palco de sua mente. No entanto, no teatro da mente, não se admitem amadores. Embora, infelizmente, bilhões de seres humanos o sejam. Por isso, não é surpreendente que estudos apontem que metade da população mundial desenvolverá, em algum momento da vida, um transtorno psiquiátrico. Um número espantoso.

Diferença entre estresse e ansiedade

A ansiedade é um estado de tensão psíquico; o estresse é um estado de tensão cerebral. Um causa o outro, e vice-versa. Na ansiedade, o pensamento está, em muitos casos, acelerado ou agitado; no estresse, essa agitação mental se traduz em fadiga excessiva. A fadiga excessiva, por sua vez, acelera o pensamento e não nos permite descansar da forma correta. Na ansiedade, existe baixo limiar para suportar frustrações, gerando irritabilidade. No estresse, essa irritabilidade pode se manifestar na forma de dores de cabeça ou musculares; dores de cabeça ou cefaleias diminuem mais ainda o limiar de frustração.

> O estresse é um mecanismo fundamental de preservação da existência.

Assim como existe a ansiedade saudável, há o estresse vital e saudável. Ele é definido como um estado de ansiedade canalizado para o metabolismo cerebral, capaz de gerar reações psicossomáticas (manifestações físicas de origem emocional) que preparam o indivíduo para lutar ou para fugir da situação de risco. Aumento da pressão sanguínea, da frequência cardíaca, da ventilação pulmonar e da produção de uma série de substâncias metabólicas faz parte do grupo de elementos que prepararam o ser humano para preservar a vida diante de ameaças.

Portanto, o estresse é um mecanismo fundamental de preservação da existência. Sob ameaça, o organismo contra-ataca ou se esconde. Quanto mais sofisticado for o organismo, mais complexos serão os mecanismos estressantes.

As reações de estresse estão presentes quando, por exemplo, um africano se encontra diante de uma fera ou quando um índio amazônico se encontra diante de uma serpente. Porém, se um africano ou um índio tivesse de enfrentar feras ou serpentes a todo momento, as reações estressantes esgotariam seu cérebro, pois elas gastam uma grande quantidade de energia.

Quando o estresse é considerado doentio? Quando produz sintomas frequentes e intensos. É o que está acontecendo nas civilizações digitais, na era do *smartphone*, da internet, da competição predatória. O ser humano não precisa ter um predador natural em seu encalço para se

> **O ser humano intelectualizado, mas cujo Eu não é um bom gestor da própria mente, cria feras e produz serpentes em seu imaginário.**

perturbar; o homem é tão criativo em seu psiquismo que cria esse predador – por exemplo, quando sofre constantemente pelo futuro; sofrer de vez em quando pelo que ainda não aconteceu é suportável, mas sofrer todos os dias é intolerável. O ser humano intelectualizado, mas cujo Eu não é um bom gestor da própria mente, cria feras e produz serpentes em seu imaginário.

Acionamos perigosamente os mecanismos estressantes de preservação da vida várias vezes por dia, esgotando o planeta cérebro, espoliando-o de seus recursos naturais. Por isso, dores de cabeça, dores musculares, queda de cabelo, hipertensão arterial, fadiga ao acordar fazem parte de nosso cardápio existencial. O homem moderno se transformou em seu próprio predador. Você escapou de ser seu maior algoz?

2

Compreendendo os bastidores da mente humana: mecanismos normais e doentios

Gatilho da memória: copiloto da aeronave mental

Costumo me referir aos fenômenos do gatilho da memória e do autofluxo, que explicarei em detalhes neste capítulo, como copilotos da nossa aeronave mental.

Conhecê-los é fundamental para entender o estresse torrador da energia cerebral e emocional. Munido desse conhecimento, você estará apto a estudar o controle do estresse a partir de uma das mais complexas fronteiras da ciência: o processo de construção de pensamentos e de formação do Eu como líder da psique.

A construção de pensamentos alicerça a consciência existencial. Sem a consciência, somos poeira cósmica, sem identidade nem personalidade. Por outro lado, sem a existência do Eu como líder da consciência, somos seres sem autonomia, personalidades sem gerenciamento, histórias intrapsíquicas sem governo. Nesse caso, esgotamos o cérebro desmedidamente.

A consciência existencial é tão complexa que, quando você sofre, todo o universo sofre; quando você se sente solitário, o universo também fica imerso no caos da solidão, pelo menos para sua consciência. Não é exagero dizer que a consciência nos coloca no centro de tudo, embora não sejamos o centro de importância. Quando você sente a dor do outro, ela não é mais do outro – é sua também. Quando você se estressa, tudo à sua volta é impactado. A consciência existencial diz ao Eu que somos únicos, ímpares, ainda que tenhamos um comportamento completamente humilde e generoso.

O Eu, que, entre outras funções, representa a capacidade de escolha, não está sozinho em sua magistral tarefa de construir experiências psíquicas. Há dois fenômenos inconscientes, o gatilho da memória e o autofluxo, que leem a memória e constroem cadeias de pensamentos. O gatilho da memória é acionado em milésimos de segundo por um estímulo extrapsíquico (imagens, sons, sensações táteis, gustativas, olfativas) ou intrapsíquico (imagens mentais, pensamentos, fantasias, desejos, emoções) e abre janelas da memória, ativando uma interpretação imediata. O tempo todo, milhares de estímulos nos atingem e são interpretados rapidamente após o acionamento do gatilho da memória e a subsequente abertura de janelas.

Esse processo ocorre sem a intervenção do Eu. Portanto, nossas primeiras impressões e interpretações do mundo não são conscientes. O tempo todo também, milhares de palavras escritas ou faladas são identificadas não pelo Eu, mas pelo gatilho, abrindo múltiplas janelas da memória. Por isso, esse fenômeno também é chamado de autochecagem da memória.

Se encontrar cada janela a partir dos estímulos com que temos contato dependesse do Eu, nossa resposta interpretativa inicial não seria tão rápida, e nós não seríamos a espécie pensante que somos. A ação do gatilho da memória é fenomenal. Você ouve uma palavra e imediatamente sabe o significado dela, se já a havia assimilado antes. Temos consciência instantânea de milhares de estímulos exteriores. Sem esse fenômeno, o Eu ficaria confuso e não identificaria a fisionomia das pessoas, os sons do ambiente, a arquitetura dos edifícios, os aplicativos dos celulares, as palavras dos textos.

O gatilho pode perder sua funcionalidade saudável

Se, por um lado, o gatilho da memória é um grande auxiliar do Eu, por outro, pode causar grandes desastres. Quando abre janelas doentias ou killer, ele leva a interpretações anacrônicas, superficiais ou preconceituosas. Pode, por exemplo, transformar uma borboleta num monstro para quem tem fobia, gerando uma aversão fatal. Ou pode fazer com que uma pedra de *crack* se torne objeto de consumo compulsivo para um dependente, gerando uma atração fatal. Portanto, o gatilho da memória, um dos copilotos do Eu, pode levar a aeronave mental a graves acidentes.

Quem sofre de síndrome do pânico, embora não conheça o pacto entre o gatilho e as janelas killer, sabe como ele é cruel, escravizador. Felizmente, essa armadilha mental pode ser reeditada ou superada. Não é incomum que um aluno brilhante se saia mal em determinada prova e registre essa experiência como um trauma ou janela killer. Há jovens que, apesar de terem estudado e saberem a matéria, ficam tão tensos que desenvolvem a Síndrome do Circuito Fechado da Memória (CiFe killer), capaz de bloquear as informações que aprenderam. Eles ficam abalados e registram essa frustração, expandindo o núcleo traumático. Quando chega o dia de mais uma prova, o gatilho da memória entra em cena e abre a janela killer onde o medo de falhar está arquivado e novamente fecha o circuito da memória.

Como consequência, esses alunos perdem a confiança em si mesmos e, muitas vezes, são erroneamente considerados relapsos, irresponsáveis, incapazes. Infelizmente, milhões de crianças, adolescentes e universitários que poderiam brilhar no teatro social são excluídos porque não sabem controlar seu estresse nem como romper o cárcere das janelas killer.

Uma de minhas frentes de batalha envolve a educação mundial. Luto para que professores, psicopedagogos e psicólogos conheçam esta fronteira da ciência: o processo de construção de pensamentos e suas armadilhas.

Educadores usam à exaustão o pensamento como instrumento para ensinar, mas não estudam a natureza, os tipos, os processos construtivos e o gerenciamento dos pensamentos. A maioria nem sequer ouviu falar da Síndrome do Circuito Fechado da Memória. Não foi preparada para resolver conflitos em sala de aula. Não entende que, para abrir o circuito da memória e aliviar o estresse, é vital primeiro valorizar o aluno que erra para só depois levá-lo a refletir sobre seu erro.

Se o circuito se fecha com críticas, comparações, tom de voz elevado, o Eu do aluno, que tem a capacidade de decidir ou escolher, perde a capacidade de acessar milhões

> **Educadores usam à exaustão o pensamento como instrumento para ensinar, mas não estudam a natureza, os tipos, os processos construtivos e o gerenciamento dos pensamentos.**

de informações que lhe permitiriam dar respostas inteligentes diante dos desafios, das crises, dos percalços da vida. Aprender a gerenciar os pensamentos perturbadores e a proteger a emoção faz toda a diferença para controlar o estresse e atingir um ponto de equilíbrio.

Não há equilíbrio pleno

Existem pessoas plenamente equilibradas? Não. Você, eu ou qualquer outro ser humano jamais seremos completamente equilibrados, até porque cada pensamento se organiza, experimenta o caos e se reorganiza em outros pensamentos, o que evidencia que o psiquismo humano está em constante "desequilíbrio" quanto a seu processo construtivo. Tal desequilíbrio é normal.

Uma coisa, porém, é o desequilíbrio do processo construtivo dos pensamentos e das emoções; outra é o desequilíbrio do gerenciamento pelo Eu de nossas reações, atitudes, respostas. Este último é doentio e expressa a inabilidade do Eu como gestor psíquico.

Fundamentado na Teoria da Inteligência Multifocal e em mais de 20 mil sessões de psicoterapia e consultas psiquiátricas, sinto-me seguro em afirmar que todos temos desequilíbrios no gerenciamento pelo Eu. Por quê? Por causa das armadilhas existentes nos bastidores da mente, do complô entre o gatilho e as janelas killer ou traumáticas que desenvolvemos ao longo da vida e, em especial, do fato de que nosso Eu não é educado e equipado para gerir a psique. A empresa mais complexa, a mente humana, tem baixo nível de gerenciamento; o veículo mais sofisticado, a emoção, não tem um bom piloto. Como não adoecer? Como não ser estressado?

Nosso Eu, que representa a consciência crítica e a capacidade de escolha, possui uma formação frágil, insegura, reativa (reage pelo fenômeno bateu-levou) e não tem habilidade para proteger a memória e a emoção. Por isso, a pessoa mais calma terá seus momentos de estresse angustiante, assim como o ser humano mais coerente terá algumas reações estúpidas que deixarão perplexas as pessoas de sua intimidade.

Reitero: todos nós experimentamos desequilíbrios. Entretanto, quero deixar bem claro que pessoas excessivamente desequilibradas – impulsivas, flutuantes, punitivas,

> Todos nós experimentamos desequilíbrios. Mas pessoas excessivamente desequilibradas causam desastres na sociedade, na família, na escola, na empresa; elas se tornam fonte de conflitos, celeiro de estresse.

autopunitivas, irritadiças, excessivamente críticas – causam desastres na sociedade, na família, na escola, na empresa; elas se tornam fonte de conflitos, celeiro de estresse. Se você apresenta essas características, não desista de si mesmo; treine para ser autor de sua história. Mesmo quem tenha causado muitos acidentes emocionais pode se equipar e se tornar um oásis no deserto social, aliviando o sofrimento daqueles que mais ama.

Sempre que tenho a oportunidade de falar com professores e psicólogos em minhas conferências mundo afora, pergunto a eles se cobram demais dos outros. Em média, de 20% a 30% desses profissionais dizem que sim. No entanto, a autocobrança excessiva é ainda mais elevada, não importa o lugar: nos Estados Unidos, na Colômbia, na Espanha ou em Dubai. A grande maioria desses profissionais aponta que é cobradora e até punitiva consigo mesma.

Quem cobra demais de si sabota sua tranquilidade, nutre seu estresse. Quem exige muito de si eleva, sem perceber, seus níveis de exigência para ser feliz, realizado, relaxado. Raramente está satisfeito, alegre, desestressado. Pessoas assim são como boxeadores que acabaram de ser nocauteados num ringue e, em vez de interromper a luta e se poupar, levantam-se e continuam sendo espancados. É estranho e perturbador para mim constatar que profissionais notáveis estejam entre os que mais sabotam sua saúde psíquica e seu prazer de viver.

> Quem cobra demais de si sabota sua tranquilidade, nutre seu estresse. Quem exige muito de si eleva, sem perceber, seus níveis de exigência para ser feliz, realizado, relaxado.

O fenômeno do autofluxo: fonte de entretenimento

Enquanto o Eu faz uma leitura lógica, dirigida e programada da memória, ainda que incoerente e destituída de profundidade, o autofluxo faz uma varredura inconsciente, aleatória, não programada dos mais diversos campos da memória, produzindo pensamentos, imagens mentais, ideias, fantasias, desejos e emoções no teatro psíquico. Ele cria os pensamentos que nos distraem, as imagens mentais que nos animam, as emoções que nos fazem sonhar.

Com o autofluxo, tornamo-nos viajantes sem compromisso com o ponto de partida, com a trajetória e com o ponto de chegada. Diariamente, cada ser humano ganha vários "bilhetes" do fenômeno do autofluxo para viajar pelos pensamentos, pelas fantasias, pelo passado, pelo futuro.

Nosso Eu vive sendo surpreendido pela criatividade de nossa mente. O responsável? O fenômeno do autofluxo,

> **Se o autofluxo não for adequadamente livre e criativo, a pessoa será triste, mesmo tendo todos os motivos materiais para ser feliz.**

que mantém vivo o fluxo das construções intelectuais e emocionais a cada momento existencial. Um presidiário, por exemplo, tem o corpo confinado atrás das grades, mas sua mente está livre para pensar, fantasiar, sonhar, imaginar; sem esse fenômeno, é provável que o número de suicídios entre presidiários aumentasse significativamente.

O autofluxo pode causar problemas, mas, sem ele, morreríamos de tédio, solidão, angústia, entraríamos em depressão coletiva. A meta fundamental desse fenômeno inconsciente é ser a maior fonte de entretenimento humano. Se o autofluxo não for adequadamente livre e criativo, a pessoa será triste, mesmo tendo todos os motivos materiais para ser feliz; ela será pessimista, mórbida, ingrata, afundará em reclamações, ainda que tenha muitas razões pelas quais agradecer – sucesso, família, amigos.

Nunca a mente humana esteve tão estressada quanto na atualidade. Algumas pessoas têm uma mente tão agitada que não são capazes de se concentrar e apresentam déficit de memória. Não prestam atenção quando estão lendo um livro (parece que não gravam nada da leitura) ou ouvindo alguém (ficam divagando). Tais pessoas excitaram tanto o fenômeno do autofluxo que se tornaram mentes hiperpensantes, ansiosas, estressadas.

Em muitos casos, o ponto de partida para a atuação do fenômeno do autofluxo são as janelas abertas pelo gatilho da memória. Por exemplo, quando alguém que tem fobia de voar entra em um avião, o gatilho dispara e abre a janela traumática do medo de que o avião caia. O fenômeno do autofluxo então se ancora nessa janela doentia e produz milhares de pensamentos perturbadores, levando o indivíduo a achar que, a cada turbulência, por menor que seja, está vivendo seus últimos instantes de vida.

Janelas da memória: armazéns de informação

As janelas da memória são territórios de leitura num determinado momento existencial. Em um computador, é possível acessar todos os campos da memória; já na memória humana, os dados são arquivados em áreas específicas – as janelas –, as quais requerem variadas "chaves" para ser acessadas. Nosso grande desafio é abrir o maior número de janelas para lidar com um foco de tensão.

As janelas da memória representam regiões da memória em que o Eu, o gatilho, o autofluxo e a âncora da memória podem se nutrir para construir pensamentos. Em vários dos meus livros, comento que existem três tipos de janelas, com muitos subtipos. Precisamos revê-las porque elas são os tijolos para as ideias que desenvolvo.

Janelas neutras

Correspondem a mais de 90% de todas as áreas da memória. Contêm bilhões de informações neutras, com pouco ou nenhum conteúdo emocional, tais como números, endereços, telefones, dados corriqueiros, conhecimentos profissionais e, em destaque, o conteúdo das matérias escolares tradicionais: matemática, física, química, línguas, competências técnicas.

Quem é excessivamente cartesiano ou lógico torna-se um construtor de janelas neutras, sem relevância socioemocional, não aprende a pensar antes de reagir, a ser generoso, a se colocar no lugar do outro, a ter resiliência e ousadia para se reinventar. Quem é um manual de regras de comportamento, um apontador de falhas e de erros dos filhos, alunos, cônjuge, colegas de trabalho está apto a lidar com máquinas, reparar defeitos, mas não a formar pensadores. Quem é excessivamente racional tira o oxigênio do lado emocional do ser humano e se torna, portanto, uma fonte de estresse para quem ama, perde o autocontrole e leva o outro também a perdê-lo.

Escolas excessivamente lógicas, cartesianas, que supervalorizam as janelas neutras e as provas em detrimento da educação da emoção, estão preparadas para formar servos, robôs que obedecem a ordens, mas não seres humanos completos, autônomos e que tenham consciência crítica. Controlar o estresse requer a formação de pessoas flexíveis, generosas, tolerantes, ousadas, especialistas em abraçar mais e julgar menos.

Janelas killer ou traumáticas

Correspondem a todas as situações traumáticas que vivenciamos ao longo da vida e registram conteúdo emocional angustiante, fóbico, tenso, depressivo, compulsivo. *Killer* quer dizer "assassino"; portanto, essas são janelas que controlam, amordaçam, asfixiam a liderança do Eu.

Ninguém muda ninguém: cada um de nós tem o poder apenas de piorar o outro, mas não de mudá-lo. Muitos pais, maridos, esposas, professores, executivos querem atuar como neurocirurgiões, querem operar a mente de pessoas teimosas, radicais, tímidas, inseguras. Para isso, acabam usando estratégias que formam janelas killer ou traumáticas, as quais estressam muito e pioram os outros. E quais são essas estratégias? Elevar o tom de voz, passar sermões, criticar excessivamente, comparar, chantagear. Milhões de pessoas são engenheiras de janelas killer. O estresse, esse vilão atroz, agradece.

Janelas light

Correspondem a todas as áreas da memória com conteúdo prazeroso, tranquilizador, sereno, lúcido, coerente. As janelas light "iluminam" o Eu, alicerçam sua maturidade, sua lucidez, sua coerência. Contêm experiências saudáveis, como demonstrações de apoio, superação, coragem, sensibilidade, capacidade de se colocar no lugar do outro, de pensar antes de agir, de amar, de se solidarizar, de tolerar.

Hoje, muitos pais são especialistas em criticar e diminuir seus filhos, sem saber que esse tipo de atitude atrapalha o desenvolvimento da emoção deles, inclusive asfixiando sua capacidade de resiliência (suportar contrariedades) e autocontrole. No meu caso, o elogio sempre fez parte do cardápio diário da minha relação com minhas filhas. Quando elas eram crianças e adolescentes, eu as exaltava quando tinham comportamentos assertivos. Quando me decepcionavam, eu dizia que tinha orgulho de ser pai delas e, em seguida, levava-as a pensar em suas atitudes e nas consequências de seus comportamentos. Elas, claro, recuavam imediatamente. Assim, eu abria o circuito da memória delas, e elas aprendiam a difícil arte de se colocar no lugar dos outros. Qual era meu objetivo? Educar a emoção delas para formar janelas light.

Nunca tive medo de pedir desculpas a minhas filhas, de reconhecer meus excessos, pois queria que elas aprendessem a se desculpar também. Nunca tive receio de reconhecer meus erros, pois sonhava que elas entendessem que ninguém é digno da maturidade e da saúde emocional se não usar suas falhas e seus fracassos para irrigá-las. O resultado da educação da emoção é a formação de mentes livres e criativas. Devemos ser engenheiros de janelas light. A gestão do estresse agradece.

3

O estresse causado pela aceleração do pensamento

Mentes agitadas

No livro *Ansiedade – Como enfrentar o mal do século*, eu apresento a Síndrome do Pensamento Acelerado (SPA). Precisamos voltar a falar sobre ela, que é causadora de um estresse atroz, que esgota a energia cerebral. Devemos ter em mente que pensar é bom, pensar com consciência crítica é ótimo, mas pensar excessivamente e sem gerenciamento é uma bomba contra a saúde psíquica. Provavelmente, muitos leitores carregam essa bomba cerebral e precisam desarmá-la o mais rápido possível.

Certo dia, durante o desenvolvimento deste livro, encontrei um ex-jogador que brilhou na seleção brasileira de futebol. Comentei com ele sobre as armadilhas do estresse. Disse-lhe que um esportista atua em duas arenas: aquela em que pratica o esporte e outra, a mente, em que ele comanda seus movimentos. O problema é que, na arena da mente, pode haver muitas armadilhas que asfixiam o desempenho do esportista.

Se o esportista abre uma janela killer ou traumática que arquiva o medo de falhar, a autocobrança, o vexame social ou a crítica da imprensa ou da torcida, o volume de tensão pode ser tão estressante que bloqueia milhares de outras janelas, fechando o circuito da memória. Nesse caso, o Eu não consegue encontrar milhões de dados fundamentais para dar ao atleta flexibilidade, ousadia, proatividade. O Eu deixa de ser um esportista na arena física e se torna uma presa na arena mental, querendo fugir ou lutar contra a situação de risco, e seu desempenho esportivo fica seriamente comprometido. O mesmo pode ocorrer com um estudante às vésperas de uma prova, com um conferencista perante uma plateia, com um profissional sob tensão...

Depois que eu fiz esses comentários, ele, de forma muito inteligente, me disse: "O melhor jogador em campo é a emoção". Ao que completei: "Ter autocontrole mínimo sobre a emoção é fundamental para dar o melhor de nós nos focos de tensão". Ele concordou plenamente que, se não gerenciarmos a emoção dos esportistas, se não administrarmos seus medos, suas preocupações, sua autopunição ou sua autocobrança, as armadilhas mentais bloquearão suas habilidades e os levarão ao fracasso. Como afirmo no livro *Gestão da emoção*, o treinamento do Eu como gestor da mente não produz novas habilidades esportivas, mas prepara o terreno para que as habilidades existentes sejam plenamente exercidas.

Sinceramente, acredito que muitos esportistas, profissionais liberais, executivos e alunos não exercem mais do que 50% de seu potencial criativo. Eles perdem o jogo na arena da mente. Uma mente hiperacelerada já entra em campo em desvantagem competitiva; um erro, uma vaia da torcida, um pensamento perturbador asfixia o Eu, prepara-o para fugir, e não para pensar e competir.

Assassinos da emoção

A Teoria da Inteligência Multifocal demonstra que, sem os atores coadjuvantes, o Eu não se formaria. Não saberíamos quem somos, não teríamos identidade. Pois, antes de começar a ter consciência de si mesmo, o Eu precisa dos milhões de pensamentos arquivados na memória durante os primeiros anos de vida. O que ou quem produz esses pensamentos? Os atores coadjuvantes já citados: o gatilho da memória, o autofluxo, a âncora e as janelas da memória.

Esses fenômenos inconscientes tornam o *Homo sapiens* extremamente complexo e marcadamente complicado. Quando estamos navegando em céu de brigadeiro e poderíamos descansar, nossa mente cria turbulências. Milionários com condições de gozar a vida criam em sua mente doenças, preocupações e medos, mesmo que sua saúde esteja ótima. Muitos reis tiveram todos os motivos para ser superfelizes, mas inventaram inimigos mentais. Você cria inimigos em sua mente?

Em alguns casos, esses inimigos imaginários geram janelas killer duplo P – que têm o poder de encarcerar o Eu e retroalimentar o trauma –, produzindo paranoia ou ideia de perseguição. Stalin e Hitler eram paranoicos, criavam inimigos em seu imaginário, o que os levou a ter uma existência perturbadíssima. E, assim, foram duplamente assassinos: dos outros e do próprio prazer de viver. Mataram milhões de inocentes e, como todo ditador, sepultaram a própria saúde emocional.

Devemos sempre levar em conta que não estamos sós na aeronave mental; carregamos outros passageiros que atuam junto com o Eu. Seu Eu não quer pensar em algo preocupante, mas você, através dos atores que leem a memória inconscientemente, pensa. Seu Eu não quer sofrer pelo passado, mas o gatilho dispara e encontra janelas killer, e, assim, você remói mágoas ou problemas. Somos assim, tão sofisticados e, ao mesmo tempo, tão autoflagelados, especialmente se não gerenciamos nossa mente.

A produção de pensamentos pode se tornar um grande vilão da qualidade de vida, da saúde psíquica e da felicidade. Acredite: seus maiores inimigos não estão fora, mas dentro de você. Estou convicto de que posso ser autodestrutivo, de que posso asfixiar minha tranquilidade quando não atuo como líder de mim mesmo. Nosso maior algoz é frequentemente nosso Eu ingênuo, imaturo, despreparado, que não sabe usar ferramentas para controlar o estresse e dar um choque de gestão nos pensamentos. O ato de pensar nos torna *Homo sapiens*; já o ato de pensar sem gestão nos torna *Homo sapiens* aterrorizados.

Cérebro estressado reage; cérebro tranquilo pensa

O Eu não é capaz de interromper o ato de pensar. A própria consciência da interrupção dos pensamentos é um pensamento. Quando não pensamos conscientemente, os atores

> " Acredite: seus maiores inimigos não estão fora, mas dentro de você. Estou convicto de que posso ser autodestrutivo, de que posso asfixiar minha tranquilidade quando não atuo como líder de mim mesmo. "

coadjuvantes leem a memória e fomentam a construção de ideias, de imagens mentais, de fantasias, de personagens, de emoções. Mesmo o mais profundo relaxamento é incapaz de paralisar completamente a produção de pensamentos; ele apenas a desacelera. Pensar aceleradamente é fonte de estresse; pensar serena e calmamente é fonte de saúde psíquica.

Ninguém estacionaria o carro na garagem e deixaria o motor ligado dia e noite, porém muitas pessoas não desaceleram a mente. Elas dormem, mas não descansam; sua mente fica ligada em suas atividades.

Somos atormentados por nossos pensamentos como se fôssemos máquinas de resolver problemas. Quem espera solucionar todos os problemas para só então relaxar, curtir a vida, descansar, pode preparar um leito em um hospital para repousar, pois dificuldades, frustrações, questionamentos nunca acabam. Alguns mal resolvem um problema, e outros dez já aparecem no teatro da mente.

Muitos detestam ver filmes de guerra, mas travam na própria mente uma guerra interminável. As guerras mentais aniquilam cientistas, abatem religiosos, destronam reis, asfixiam a infância e a juventude, abortam a criatividade de todos. Muitas pessoas têm diversos motivos para ser livres, porém suas preocupações e ideias ansiosas as encarceram na masmorra da infelicidade, da labilidade emocional e do mau humor. Vivem fatigadas.

> Quem espera solucionar todos os problemas para só então relaxar, curtir a vida, descansar, pode preparar um leito em um hospital para repousar, pois dificuldades, frustrações, questionamentos nunca acabam.

Às vezes, essas pessoas têm um caráter nobre, são especialistas em resolver problemas alheios, mas não conseguem cuidar da própria saúde emocional. Não lideram seus pensamentos. Porém, o conteúdo pessimista e perturbador dos pensamentos não é o único problema que afeta a qualidade de vida; a velocidade com que pensamos também o faz. Uma das grandes descobertas da Teoria da Inteligência Multifocal é que a velocidade excessiva do pensamento provoca uma importante síndrome: a Síndrome do Pensamento Acelerado. Nós podemos acelerar muitas coisas no mundo exterior com vantagens: os transportes, a automação industrial, a transmissão e o processamento de informações nos computadores; no entanto, nunca deveríamos acelerar a construção de pensamentos. Infelizmente, interferimos na construção de pensamentos em níveis perigosos.

A movimentação exacerbada dos pensamentos desencadeia um desgaste cerebral intenso, produzindo ansiedade, que estressa o cérebro e gera sintomas físicos que, por sua vez, retroalimentam a ansiedade e o estresse. Sempre temos de ter consciência desse círculo vicioso. Nos bastidores da mente humana, um fantasma nutre o outro: o medo nutre o pensamento perturbador, que nutre a angústia, que nutre a ansiedade, que nutre o medo. Domesticar esses vampiros emocionais é uma tarefa vital. Você está preparado?

As causas da SPA

A SPA alastrou-se por todos os povos e culturas. Vale a pena recordar algumas das causas mais importantes para isso, já vistas no livro *Ansiedade – Como enfrentar o mal do século*. Uma mente hiperpensante é uma das maiores causas do esgotamento cerebral.

Excesso de informações

No passado, o número de dados recebidos por uma pessoa dobrava a cada dois séculos; hoje, dobra a cada ano.

> Nos bastidores da mente humana, um fantasma nutre o outro: o medo nutre o pensamento perturbador, que nutre a angústia, que nutre a ansiedade, que nutre o medo.

Um jornal de grande circulação traz mais informações gerais em sua edição diária do que um ser humano médio poderia adquirir durante toda a vida séculos atrás. Mas essa avalanche de dados na atualidade não é inofensiva ao cérebro. O córtex cerebral é um planeta com recursos limitados. Quem não preserva esses recursos é irresponsável com sua saúde psíquica. Quem age como se a memória fosse uma biblioteca ilimitada de informações, ou seja, quem não seleciona os dados profissionais e existenciais, é um predador da própria mente.

Ninguém vai a um restaurante *self-service* para comer tudo o que está exposto. Mas, por incrível que pareça, não temos esse controle, não fazemos essa distinção em relação à nutrição da memória. Queremos absorver, ler e nos inteirar de tudo, sem saber que essa conduta estressa muitíssimo o cérebro, pois excita o fenômeno do autofluxo a gerar a SPA.

Os melhores profissionais são seletivos; não são paranoicos em querer absorver tudo ao redor; são peritos em organizar os dados, e não em abarrotar a memória. Einstein, por exemplo, tinha menos informações técnicas do que a média dos engenheiros e dos físicos da atualidade. Então, por que foi um dos maiores pensadores da história? Porque rompeu o cárcere da teoria mecanicista de Newton e produziu uma das teorias mais complexas da ciência, a teoria da relatividade. Eu tive o privilégio de construir nas

> **Os melhores profissionais são seletivos; não são paranoicos em querer absorver tudo ao redor; são peritos em organizar os dados, e não em abarrotar a memória.**

últimas décadas não apenas uma teoria sobre a construção de pensamentos, mas também uma teoria sobre a formação de pensadores. Estou convicto de que o que levou Einstein a ser um grande pensador foi a maneira arrojada e multifocal como organizou os dados, e não a quantidade deles. Ele exerceu a arte da dúvida e aprendeu a controlar as informações para construir novas ideias. O que importava não eram os milhões de tijolos em um terreno (cérebro), mas como ele edificava os tijolos que possuía. E para você? Cuidado, o excesso de informações esgota o cérebro, o torna menos criativo.

Uma mente estressada sofre de déficit cognitivo, de contração do raciocínio complexo, isto é, não acessa os inúmeros arquivos com milhares de dados para dar respostas notáveis em situações conflitantes. Reage, portanto, através do raciocínio simples, unifocal, estímulo-resposta.

O raciocínio simples é linear, enquanto o raciocínio complexo é multiangular; o raciocínio simples é unifocal, enquanto o complexo é multifocal; o simples usa o pensamento dialético, que copia os símbolos da língua, enquanto o complexo usa o pensamento antidialético, que liberta o imaginário. Einstein desenvolveu o raciocínio complexo. É importante ter tijolos, mas mais importante é saber construir edifícios. Tijolos amontoados num terreno transformam-se em lixo. Intelectos brilhantes são bons engenheiros de pensamentos, e não acumuladores de informações inúteis.

Excesso de preocupações

Preocupação é a laje que cobre o teto do ser humano moderno. Mentes inquietas são mentes hiperpreocupadas, e, como já comentei, mentes hiperpreocupadas são ótimas para a empresa e para a sociedade, mas carrascas da tranquilidade. Como o próprio nome reflete, preocupação é uma ocupação prévia, anterior aos fatos, capaz de imprimir angústia, medo e apreensão antes de os fenômenos ocorrerem. E nada é tão atroz para a saúde psíquica quanto isso.

Devemos pensar no amanhã apenas a fim de desenvolver estratégias para superar conflitos ou solucionar problemas. Velar fatos antes de eles acontecerem é uma agressão ao território da emoção. Treinar nosso Eu todos os dias a não chafurdar na lama das preocupações é uma atitude intelectualmente inteligente e emocionalmente saudável.

> Devemos pensar no amanhã apenas a fim de desenvolver estratégias para superar conflitos ou solucionar problemas. Velar fatos antes de eles acontecerem é uma agressão ao território da emoção.

Excesso de trabalho intelectual

O trabalho intelectual intenso é altamente estressante. Atividades como escrever, analisar, julgar, pesquisar, debater ideias, ensinar, trabalhar em equipe, elaborar estratégias, gerir pessoas, atender pessoas em conflitos, cumprir metas podem consumir mais energia cerebral do que a atividade de dez trabalhadores braçais juntos. Por isso, médicos, juízes, promotores, psicólogos, educadores, executivos têm maior tendência a esgotar seu cérebro, a desenvolver sintomas mais marcantes da Síndrome do Pensamento Acelerado.

O cérebro de quem exerce um trabalho intelectual excessivo vive sempre em alerta. O desgaste é equivalente a estar frequentemente diante de um predador; por isso, tais pessoas apresentam sintomas psicossomáticos: taquicardia, hipertensão, dores de cabeça, dores musculares, fadiga ao acordar e esquecimento. Muitas acordam no meio da noite e parecem zumbis, não conseguem dormir mais. Esse comportamento indica que sofreram diminuição na quantidade da molécula de ouro que regula o sono: a melatonina.

Quem tem um trabalho intelectual intenso precisa ter cuidado redobrado com a saúde mental. Precisa ter férias respeitadas, fins de semanas apoteóticos, contato constante com a natureza e sono relaxante.

Excesso de uso de *smartphones* e redes sociais

Estamos na era dos relacionamentos patrocinados pelas redes sociais, um fenômeno que trouxe um ganho inegável na socialização, na afetividade, na pavimentação da amizade. Fico feliz quando vejo redes de amigos e familiares se formando. Entretanto, as redes sociais trouxeram um paradoxo: trocam-se mensagens rápidas e superficiais com muitas pessoas, mas raramente conhece-se profundamente alguém. E, sinceramente, não acredito que se possa ter mais amigos – aqueles com quem podemos trocar experiências e a quem podemos pedir um ombro para chorar – do que se pode contar nos dedos de uma mão. Estamos vivendo o cárcere da solidão em meio à multidão, ao ufanismo das redes sociais.

E, pior ainda, na era digital não se vive na superfície apenas das relações sociais, mas também da relação com seu próprio ser. Estamos na era dos mendigos emocionais, dos seres humanos que moram em bons apartamentos e boas casas, mas que mendigam o pão da alegria, da tranquilidade e da interiorização. Por mais pobre que seja uma residência, é nela que seu proprietário desnuda a si mesmo, retira os sapatos, usa roupas leves, sente-se confortável. Por isso, nada é tão estressante quanto se sentir um forasteiro na casa da própria personalidade.

Você pode ter suas redes sociais, mas não deve abrir mão de entrar em camadas mais profundas da mente. Nada é tão eficaz no controle do estresse quanto a autodescoberta, a domesticação de nossos fantasmas mentais, a reciclagem de nossos medos, o gerenciamento de nossa emoção, o romance com nossa saúde psíquica.

4

Consequências graves da falta de controle do estresse

Antes de falar sobre as técnicas fundamentais para controlar o estresse doentio, precisamos conhecer algumas consequências dramáticas de não gerenciá-lo:

1. Mentes estressadas mendigam o pão da alegria

Uma das mais sérias consequências de uma mente continuamente estressada é necessitar de muitos estímulos para sentir migalhas de prazer. E há uma enorme classe de seres humanos nessa condição.

No século XVIII, um terço da população de Paris era formada por mendigos; tropeçava-se em pessoas passando fome. Esse período ficou conhecido como a idade dos mendigos. Hoje, estamos na era dos mendigos emocionais. Crianças e jovens estressados moram em belos apartamentos e casas confortáveis, porém não têm conforto psíquico, precisam ansiosamente de celulares, roupas, tênis e outros

> "Cedo ou tarde, a depressão – o último estágio da dor humana – abarcará 1,4 bilhão de pessoas, de acordo com a Organização Mundial da Saúde (OMS)."

produtos para aliviar sua insaciável insatisfação. Adultos mentalmente estressados mendigam alegria e tranquilidade; necessitam de aplausos, reconhecimento, premiações e sucessos para mitigar ou diminuir seu esgotamento cerebral e sua marcante ansiedade.

Há 800 milhões de pessoas no mundo passando fome, e há bilhões de pessoas desnutridas emocionalmente, que clamam pelo pão da alegria e da paz interior. Raramente se fala desse dantesco fenômeno psicossocial. Até a Organização das Nações Unidas (ONU) silencia diante desse drama emocional. Estamos na era da indústria do lazer, capitaneada pela TV, pelo cinema, pelo esporte, pela música, pelos *games* e celulares, mas, paradoxalmente, nunca vimos uma geração tão triste.

Cedo ou tarde, a depressão – o último estágio da dor humana – abarcará 1,4 bilhão de pessoas, de acordo com a Organização Mundial da Saúde (OMS). Gerenciar a emoção e filtrar estímulos estressantes é tão importante quanto a vacina contra a poliomielite, mas onde estão os pesquisadores interessados na prevenção de transtornos emocionais?

Sem controle do estresse, a humanidade se tornará um manicômio global.

2. Mentes estressadas têm baixo limiar para frustrações

Mentes estressadas têm baixo nível de tolerância a contrariedades. Sua emoção é desprotegida; pequenos problemas as impactam de forma muito intensa: um olhar atravessado estraga o dia, uma decepção asfixia a semana, uma traição infecta a vida, pequenas críticas sequestram sua tranquilidade.

Mentes que não gerenciam o estresse reagem pelo fenômeno ação-reação, bateu-levou, retroalimentando a violência. Quanto mais agridem quem as agrediu, mais o fenômeno RAM registra, nelas e no agressor, janelas traumáticas que desertificam a saúde emocional. Embora saibam que são mortais, essas mentes diminuem tanto o limiar para suportar dificuldades que fomentam desde agressões na escola (*bullying*) e violência contra mulheres e crianças até guerras e homicídios.

Mentes agitadas praticam atos violentos e crimes por motivos fortuitos ou banais; um fenômeno em plena expansão na era digital. Nunca controlamos tantos aparelhos digitais e, paradoxalmente, nunca perdemos tanto o controle do aparelho mental.

A cultura acadêmica cartesiana é insuficiente para expandir o limiar para suportar estímulos estressantes, para gerenciar a ansiedade, para desacelerar a mente. Como abordo no livro *Gestão da emoção*, faz-se necessário aprender e desenvolver as habilidades socioemocionais do Eu como diretor do *script* de nossa história. Sem tais habilidades (como pensar antes de reagir e proteger a mente), um indivíduo pode até obter títulos de mestre, doutor ou pós-doutor, porém continuará sendo uma criança no território da emoção: não saberá o que fazer com suas lágrimas, não terá contato com suas fragilidades, não suportará minimamente as intempéries da vida.

Mentes estressadas podem ter sucesso financeiro, político e intelectual, porém fracassam em ser felizes e emocionalmente saudáveis. São facilmente atingidas pela necessidade neurótica de poder, de ser o centro das atenções e de estar sempre certas.

3. Mentes estressadas têm rebaixamento da consciência crítica

Mentes estressadas, ainda que cultas, têm dificuldade de ter contato com a própria realidade, de se interiorizar, de se questionar, de se mapear. Apenas tangenciam os problemas, ficam à margem dos conflitos. Quem não é transparente leva para o túmulo seus fantasmas mentais, isto é, nunca os elimina ou domestica.

A autocrítica ou consciência crítica é o leme do Eu na busca para atingir suas grandes metas. Entretanto, uma mente agitada tem rebaixamento da consciência crítica, de análise a longo prazo, de pensar nas consequências de seus comportamentos.

Mentes estressadas comprometem o pensamento estratégico – sua meta é reagir, e não pensar criticamente; são precipitadas, agem instintivamente, tornam-se especialistas em machucar filhos, parceiro, amigos, embora possam, no momento seguinte, se mutilar com o sentimento de culpa; são imediatistas, querem tudo rápido e pronto – impulsividade é sua marca; quando pressionadas ou feridas, não sabem fazer a oração dos sábios, o silêncio proativo; algumas pessoas não levam desaforo para casa e, com isso, creem que estão sendo honestas com a própria consciência, pois a mínima decepção ou frustração detona sua capacidade ansiosa de responder, porém não sabem que, no fundo, sua honestidade é sinal de pleno descontrole. Tais pessoas são especialistas em machucar a quem amam.

Uma mente madura elogia quem a contraria, primeiro valoriza quem erra para depois levá-lo a refletir sobre o erro, primeiro abre o circuito da memória para só depois estimular a interiorização.

> Uma mente madura elogia quem a contraria, primeiro valoriza quem erra para depois levá-lo a refletir sobre o erro.

4. Mentes estressadas rejeitam a solidão criativa

A criatividade e a inventividade nascem no solo da solidão. Não é possível se interiorizar, elaborar ideias, libertar o imaginário sem viajar para dentro de si mesmo. Todavia, mentes estressadas detestam a solidão, pelo menos a solidão calma e criativa. São inquietas, agitadas, ansiosas, o que as atrapalha na hora de se conhecerem profundamente. Por viverem a síndrome da exteriorização existencial, as mentes estressadas frequentemente também são consumistas e projetam no ter o vazio do ser, o que aumenta o sentimento de culpa e retroalimenta o estresse.

Escolas cartesianas e excessivamente cognitivas, mesmo as com mensalidades caríssimas, não fomentam a educação da emoção, não ensinam a arte da solidão criativa, a arte de contemplar o belo, o gerenciamento da ansiedade e os papéis do Eu como líder de si mesmo. As escolas dessa linha pedagógica, tentando preparar seus alunos para ser bons profissionais, na verdade os preparam para ser estressados, irritadiços, com baixos níveis para suportar frustrações, e não para ser inventivos, proativos, ousados.

Infelizmente, o último lugar em que esses alunos querem estar é dentro da sala de aula. Os professores se tornam cozinheiros do conhecimento, que preparam o alimento para uma plateia sem apetite intelectual ou prazer de aprender, como Platão preconizava. Enfim, os alunos não aprendem as habilidades socioemocionais para ser autores da própria história, para ser autônomos como Paulo Freire sonhava.

5. Mentes estressadas assassinam o tempo emocional

Mentes que não controlam o estresse destroem o melhor e mais escasso bem humano, o tempo emocional. Vivemos o dobro do que as pessoas da Idade Média, quando uma infecção, tal qual uma amigdalite, poderia levar à morte. Hoje vivemos até os 70 ou 80 anos, mas, emocionalmente, esse tempo corresponde aos 20 anos do passado. Mentes estressadas sentem que dormiram e acordaram com uma idade superior à cronológica; são tão agitadas que não veem o tempo passar.

A vida é assombrosamente breve. Nosso maior desafio é dilatar o tempo, fazer de um dia uma semana, de um mês um ano, de um ano uma década. No entanto, somos tão ansiosos que detestamos o tédio. Jovens são tão estressados que não suportam a solidão; não sabem ser amigos de si mesmos, se interiorizar prazerosamente, velejar para dentro de si, curtir momentos simples, levar em alta consideração o odor das flores, a suavidade da brisa, a explosão de cores da aurora.

6. Mentes estressadas infantilizam e contraem a juventude emocional

Mentes estressadas não elaboram suas experiências, nem reciclam suas falsas crenças, falhas, crises e dificuldades e, por isso, não formam um corpo de janelas saudáveis ou light para financiar a maturidade nas tempestades, a resiliência nas frustrações, a tolerância nas decepções, a paciência nas relações sociais. Assim, infantilizam sua emoção. Muitos adultos têm 30 ou 40 anos de idade real e 15 anos de idade emocional. À mínima derrota, eles desabam; ao mínimo fracasso, desistem de seus sonhos; à mínima crítica, recuam. Não entendem que ninguém é digno do sucesso se não usar os próprios vexames e falhas para conquistá-lo.

Mentes estressadas não sabem usar o estresse a seu favor, para sonhar e ter disciplina, para virar o jogo e superar o caos, para escrever capítulos nobres em dias tristes. Estão sempre em estado de alerta, prontas para reagir e guerrear. São especialistas em gastar energia emocional inútil. Não acalmam seus ânimos, não entendem que aplausos e vaias, drama e comédia fazem parte do maior e mais arriscado contrato de todos: a vida. Não compreendem que devem abraçar mais e criticar menos, elogiar mais e exigir menos. Não formam líderes, não promovem filhos, cônjuges, colegas e, dessa forma, pouco contribuem para construir mentes brilhantes.

Mentes estressadas asfixiam não apenas a maturidade, mas também a juventude emocional; são velhas em corpos jovens. Paradoxalmente, apesar de terem a idade emocional de um adolescente, sofrem de esgotamento precoce do ânimo, do prazer, da capacidade de se aventurar, explorar e se reinventar. São mentes adolescente-velhas, e nada é mais terrível. E quais os sintomas do envelhecimento emocional precoce? Reclamar demais; querer tudo rápido e pronto; precisar de muitos estímulos para ter migalhas de prazer; ter baixo limiar de frustração; e viver na sombra e na dependência dos outros.

7. Mentes estressadas desenvolvem doenças psicossomáticas: hipertensão, doenças intestinais, câncer, cefaleia, doenças autoimunes

Mentes estressadas espoliam os recursos do cérebro a ponto de provocar o desenvolvimento de uma série de psicossomatizações, ou seja, sintomas físicos de origem emocional. Cada sintoma desses representa um grito de alerta para o ser humano mudar seu estilo de vida, porém mentes estressadas dão as costas a esse clamor silencioso e, ao mesmo tempo, bombástico, pois querem ser as mais ricas de um cemitério, as mais capazes profissionais no leito de um hospital.

Estamos preocupados com as doenças autoimunes, cardíacas, a hipertensão arterial e a incidência de tumores cancerígenos influenciados pelo estresse intenso. Uma mente cronicamente estressada agride o corpo de forma violenta. Quando me formei na faculdade de medicina, no meio na década de 1980, uma em cada vinte pessoas desenvolvia um câncer. Esperava-se que no século XXI, com o controle do tabagismo, do alcoolismo, dos pesticidas, da poluição ambiental, da má nutrição, sobrariam apenas os fatores genéticos e, desse modo, as estatísticas seriam mais generosas: uma em cada cinquenta ou cem. Entretanto, as estatísticas atuais são assombrosas: provavelmente, uma em quatro ou cinco pessoas terá algum tipo de câncer ao longo da vida. Um pensamento acelerado, sem gerenciamento, esgota tanto o cérebro que, de alguma forma, pode diminuir a imunidade ou desencadear células egoístas, as quais se multiplicam rapidamente, sem se preocupar com a sobrevivência dos trilhões de células que formam o corpo humano.

Mentes estressadas provocam contração das arteríolas, aumento da pressão sanguínea, taquicardia, aumento da frequência respiratória, enfim, graves sintomas psicossomáticos que refletem seu estado, sempre prontas para agir, lutar, esconder ou fugir. São mentes que não descansam, não se deleitam, não constroem um oásis no deserto, criam monstros ainda que vivam sob aplausos e reconhecimentos.

Quem quer ter um corpo saudável e ver dias felizes e prolongados jamais pode abrir mão de gerenciar o estresse, de desacelerar a mente, de ter prazer em caminhar devagar, de falar com brandura, de comer com calma, de dar respostas sem fervura.

Erro de diagnóstico

Pessoas que não conseguem gerir o estresse são lentas para ter um romance com sua saúde emocional, só tomam atitudes quando o corpo entra em falência. Não percebem sua mente hiperacelerada, inquieta, desgastada. Certa vez, fui convidado a falar em um evento dirigido a mulheres empreendedoras de São Paulo. Eram quinhentas mulheres notáveis, ágeis, proativas. No entanto, quando fiz um teste sobre a ansiedade fomentada pela SPA, atestei sintomas gravíssimos do que considero o mal do século: a grande maioria delas acordava cansada, sofria por antecipação, de dores de cabeça, de tensão, de irritação, de má qualidade do sono, de déficit de memória, tinha baixo limiar de frustração.

De tão aceleradas, elas tinham dificuldade de conviver com pessoas lentas. Eram mentes estressadas que deveriam estar internadas em hotéis-fazenda, relaxando, descansando. Eram empreendedoras no teatro social, mas prisioneiras no teatro psíquico. Acertavam no geral, mas erravam no essencial.

Se os adultos estão estressados, imagine as crianças e os adolescentes, bombardeados diariamente nessa sociedade

> **As escolas que não educam a emoção dos alunos para que estes aprendam a controlar minimamente sua psique e a filtrar estímulos estressantes estão contraindo uma dívida com o futuro da humanidade.**

consumista. Eu encorajo pais e diretores de escolas a entrar numa sala de aula com alunos entre 11 e 12 anos e lhes perguntar sobre os sintomas da SPA que eles porventura sintam. Peça para que levantem a mão aqueles que sentem fadiga ao despertar, cefaleia, déficit de memória ou esquecimento, que sofrem por antecipação, que acordam de madrugada, que se sentem sempre agitados e ansiosos.

Você irá às lágrimas com o resultado dessa enquete informal. Reitero: as escolas que não educam a emoção dos alunos para que estes aprendam a controlar minimamente sua psique e a filtrar estímulos estressantes estão contraindo uma dívida com o futuro da humanidade. E a maioria contrai essa dívida. Estou cansado de ver gestores de escolas que afirmam se preocupar com a educação de seus alunos, mas que, na prática, são lentos em optar pela educação socioemocional, como advogamos no Programa Escola da Inteligência. Não percebem as graves consequências que advêm do fato de seus alunos estarem agitados, tensos, inquietos, mentalmente acelerados. De tão desesperados, alguns jovens estão se cortando no banheiro da escola, se mutilando. Neste ano, o jornal *Folha de S.Paulo* trouxe uma estatística mostrando que, de 2002 a 2012, o suicídio entre jovens aumentou 42% na capital do Estado de São Paulo. No Japão, o maior índice de suicídio é registrado no início de setembro. Por quê? Porque é quando começam as aulas. Os alunos se sentem profundamente pressionados.

O mais alarmante é que pediatras, psiquiatras, psicopedagogos e psicólogos estão confundindo a Síndrome do Pensamento Acelerado com hiperatividade. Tenho falado para plateias de magistrados sobre o trabalho intelectual escravo. Crianças têm tempo para tudo, menos para ter infância. Seus pais as estressam com inúmeras atividades, sem saber que é na infância e na adolescência que se elaboram os principais núcleos socioemocionais de habitação do Eu, os quais subsidiam habilidades para o autocontrole, a proteção emocional, a consciência crítica, a proatividade, a tolerância, o altruísmo, a paciência, a capacidade de se colocar no lugar dos outros.

Esse erro de diagnóstico é trágico, pois leva à prescrição exagerada de medicamentos com o objetivo de controlar um estresse crônico e dramático que nós adultos provocamos nas crianças. Qual é a solução? Rever o trabalho intelectual escravo a que estamos submetendo

> Crianças têm tempo para tudo, menos para ter infância. Seus pais as estressam com inúmeras atividades, sem saber que é na infância e na adolescência que se elaboram os principais núcleos socioemocionais de habitação do Eu.

nossos filhos e alunos e educar o Eu deles como gestor da própria mente. Nós devemos levar as crianças e os adolescentes a brincar, se aventurar, participar de atividades lúdicas, ter mais contato com a natureza, ler livros, aprender a tocar instrumentos, praticar esportes, se envolver com filantropia...

Contudo, alguns pais e gestores escolares preferem incentivar os filhos e alunos a estudar, se informar, fazer cursos em demasia. Claro que é necessário dar musculatura às atividades cognitivas. Mas, como disse anteriormente, estou convicto de que não é a quantidade de dados que determina a formação de pensadores, de mentes brilhantes, e sim a organização desses dados. Lembre-se de que Einstein tinha menos informações do que muitos engenheiros e físicos de hoje em dia.

Não devemos nos esquecer de que existem uma ansiedade e um estresse saudáveis que inspiram sonhos, motivam, encorpam a curiosidade, fomentam a pesquisa, levam-nos em direção ao impossível. Entretanto, se não controlarmos a ansiedade e o estresse doentios, seremos miseráveis ainda que atinjamos o apogeu do sucesso financeiro, social, intelectual, midiático.

5
Ferramentas para controlar o estresse

Neste capítulo, citarei vinte ferramentas fundamentais para o controle do estresse. Boa parte dos seres humanos falha em quase todas. Deveríamos ser treinados desde a pré-escola até a universidade a aplicar essas ferramentas todos os dias, mas infelizmente o sistema educacional está doente, formando pessoas doentes para uma sociedade doente.

A educação mundial valoriza as funções cognitivas, como memória, raciocínio, pensamento lógico, porém não trabalha as habilidades socioemocionais que permitem construir uma saúde psíquica e relações e empresas saudáveis.

1. Capacitar o Eu para ser gestor da mente: deixar de ser espectador passivo e dirigir o *script* da própria história.
2. Gerenciar o sofrimento por antecipação: ser livre para pensar, mas não escravo dos pensamentos.
3. Gerenciar os pensamentos doentios que nos vinculam ao passado.

4. Gerenciar a impulsividade, evitando o fenômeno ação-reação.
5. Gerenciar o pessimismo, o coitadismo (autocompaixão) e o conformismo.
6. Gerenciar as crenças limitantes (medo de ousar, de se reinventar, de correr riscos): construir janelas light paralelas (núcleos saudáveis ao redor de núcleos traumáticos) e reeditar janelas killer.
7. Gerenciar as falsas crenças (eu não posso, não tenho inteligência, fui programado para ser infeliz e não ter sucesso, ninguém gosta de mim): construir janelas light paralelas e reeditar janelas killer.
8. Autocontrolar as fobias: reeditar janelas killer.
9. Não cobrar excessivamente de si mesmo nem dos outros: dar sempre uma nova chance a si mesmo e às pessoas com as quais se relaciona.
10. Treinar ser bem-humorado e relaxado: não ser autopunitivo, aprender a dar risada de sua estupidez, medos e limitações.
11. Fazer escolhas: escolher o essencial e estar disposto a perder o trivial.
12. Estabelecer metas claras: saber aonde quer chegar para não fazer de qualquer lugar seu porto.
13. Ter resiliência: trabalhar perdas e frustrações e saber que não há céu sem tempestade.
14. Dormir um sono reparador: não usar celular ou computador uma a duas horas antes de dormir.

15. Desenvolver uma rotina saudável para trabalhar, praticar esportes, não trair férias, feriados, descansos, a não ser temporariamente.
16. Ser um sonhador: ter o sonho como motor da motivação e do sentido existencial.
17. Saber que sonhos não são desejos: sonhos são projetos, desejos são intenções.
18. Compreender que sonhos sem disciplina produzem pessoas frustradas, e disciplina sem sonhos produz indivíduos autômatos, que só sabem obedecer a ordens.
19. Não buscar o mecanismo de recompensa imediato: planejar a médio e longo prazo.
20. Superar as necessidades neuróticas de poder, de ser perfeito, de evidência social, de estar sempre certo, de se preocupar demais com a opinião dos outros.

Seja transparente no território da emoção

Não podemos nos esconder atrás de falsas crenças ("Não posso", "Não tenho capacidade"), de crenças limitantes, dos fracassos ou dos sucessos de nossa história, nem do conformismo, do coitadismo. Precisamos ser ousados para sair dessas armadilhas mentais e também transparentes para reconhecer nossas falhas, nossas dificuldades e nossos conflitos internos. Você é transparente no território de sua emoção?

Quem não é transparente não mapeia seus vampiros emocionais e os carrega até os últimos dias de sua existência. Por quê? Porque, se o Eu não contata nem esquadrinha as janelas traumáticas, perde a oportunidade de reeditá-las e de reciclar as mazelas e misérias emocionais.

Muitos jovens se sentem ansiosos, irritados, desconcentrados, esquecidos e perdidos em seus projetos de vida. Eu também era assim em minha juventude. Algumas pessoas podem pensar que, pelo fato de meus livros serem hoje lidos por dezenas de milhões de leitores em mais de 70 países e de meu trabalho ser estudado em várias universidades, trilhei caminhos sem acidentes. Não é verdade. Eu era um sujeito estressado e disperso.

A copa das árvores não revela as raízes fincadas na terra, que representam as lágrimas que choramos, as angústias por que passamos, os erros que cometemos.

Uma mente estressada e desconcentrada: minha história

Para tornar as técnicas desta obra mais práticas e menos teóricas, vou dissecar alguns elementos de minha história e mostrar como as apliquei. No livro *Nunca desista de seus sonhos*, comento alguns desses episódios, mas agora vou fazer isso à luz da gestão do Eu e do gerenciamento do estresse.

Atravessei desertos emocionais áridos. Durante a travessia de alguns deles, senti que não teria forças para continuar. Tinha tudo para não dar certo. Precisei muito das ferramentas aqui apresentadas para dar um salto em minha história. Não há mágica para ser um vencedor, mas existe uma magia para ser um conquistador, para gerenciar o estresse...

Vou descrever algumas perdas agudas, as lágrimas que chorei e as que não tive coragem de chorar, e como deixei a condição de espectador passivo e comecei a dirigir meu *script*. Há mais de trinta anos, quando cursava o colegial, atual ensino médio, eu era tão distraído que você podia falar comigo durante dez minutos e eu nada ouvia. Drogas? Não, eu felizmente não as usava. Minha liberdade não tinha preço. Mas eu vivia em outro planeta. Viajava em minha imaginação. Enquanto meu corpo estava na sala de aula, minha mente vagava como uma aeronave sem rumo. E sabe qual foi minha colocação no final do segundo ano do ensino médio? Número dois da classe! Só que de baixo para cima... Eu não tinha foco, minha mente estressada não se adaptava ao currículo escolar. Vivia desmotivado, estava a anos-luz do que Platão preconizava: o prazer de aprender.

Meus professores não acreditavam em mim. Meus amigos achavam que eu não seria nada na vida; que ficaria

> "Meus professores não acreditavam em mim. Meus amigos achavam que eu não seria nada na vida; que ficaria à sombra de meus pais."

à sombra de meus pais, de uma árvore ou quem sabe de uma ponte. Eu era tão desmotivado para ir à escola que tinha apenas um caderno e, mesmo assim, com quase nada escrito. Só me interessava pelo prazer imediato. Meu *hobby* era me divertir: festas, boates... Contudo, o problema não estava nessas coisas. Estava, sim, em ser controlado por uma crença limitante: a de que, para mim, não existiria futuro. Eu estava condenado a ser mentalmente estéril, a repetir ideias em vez de produzi-las. Não planejava minimamente minha vida. Não sabia onde estava nem aonde queria chegar. Se você não tem metas, qualquer lugar é um porto, mesmo o abismo, como aprendi anos depois.

No entanto havia algo interessante em minha mente, algo que eu só descobriria décadas mais tarde, como pesquisador. Algo que liberta a produção do pensamento mais rebelde, criativo, inventivo e difícil de ser controlado: o pensamento antidialético. O pensamento dialético é lógico e linear, enquanto o antidialético é livre, fomenta a imaginação. Só que, sem um choque de gestão, o pensamento antidialético divaga, não produz nada concretamente.

As crianças perguntam muito nos primeiros anos de vida por causa do fluir dos pensamentos antidialéticos e deixam de perguntar quando entram na escola porque a educação as vicia no pensamento dialético. Em uma perspectiva geral, isso acarreta um desastre mundial na formação de pensadores.

A imaginação é a fonte da criatividade, ao passo que a lógica é a fonte da repetitividade. O risco das mentes imaginativas é nunca colocar os pés no chão; o risco das mentes lógicas é nunca se arriscar até as alturas e ver o mundo de outras perspectivas. Descartes, o pai do cartesianismo, do método que usa a matemática como ciência-mãe, foi criativo porque viveu o que não defendeu: o insondável mundo da emoção, o incontrolável mundo da imaginação. Seus seguidores, como sempre, cometeram desastres; nunca entenderam que é possível dar nota máxima para quem errou todos os dados, desde que este tenha usado um raciocínio complexo, desde que tenha sido inventivo. As provas escolares cartesianas sepultaram milhares de gênios.

Minha ruína

Certa vez, meus colegas de turma estavam falando sobre seus sonhos, seu futuro, a profissão que queriam seguir. Uns queriam fazer engenharia, outros, direito, pedagogia, administração, e assim por diante. Éramos alunos de escola pública.

De repente, com a maior ingenuidade, me levantei no meio da classe e falei: "Eu quero fazer faculdade de medicina e ser um cientista!".

Sabe o que aconteceu? Um silêncio profundo tomou conta da sala. Não se ouvia nem uma mosca. E, de repente, todos caíram na gargalhada. Foi a piada do ano. Devem ter pensado: "O quê?! O mais desligado da classe, que mal tem caderno, quer fazer faculdade de medicina? E ser um cientista? Está delirando!". Nesse dia, olhei para todo mundo, passei a mão em minha cabeça e pensei: "Caramba... Se depender de torcida, estou perdido, é melhor ficar no banco de reservas!". E quantas pessoas não ficam nessa posição porque ninguém aposta nelas?

Zombando mais ainda, alguns colegas disseram: "Não liga, não! Você pode ser um excelente contador de piadas!". Outros, sabendo que eu mal conseguia chutar uma bola em linha reta, provocaram: "Você pode ser um brilhante jogador de futebol!". De fato, há momentos na vida em que não podemos contar com ninguém. Descobri que nossas principais decisões são solitárias.

Virando o jogo: o casamento do sonho com a disciplina

Depois desse momento de zero apoio emocional, comecei a me questionar com honestidade: "Quem sou eu? O que espero de minha vida? Quem disse que eu estou programado para ser um derrotado? Se outros chegaram lá, por que eu não chegaria? Quem disse que não posso superar minhas limitações?".

Descobri – embora não de forma clara – uma importante ferramenta: meu Eu pode e deve ser autor da própria história. Meus piores inimigos estão dentro de mim, eu os crio e só eu posso superá-los.

Meus principais obstáculos não eram as outras pessoas, e sim as falsas crenças que eu mesmo havia construído: de que não era inteligente, de que não tinha boa memória, de que não teria sucesso, de que não conseguiria resolver minhas mazelas psíquicas. As falsas crenças são cárceres mentais que podem nos dominar a vida toda. Descobrir isso me iluminou. Que tipo de falsa crença ou crença limitante controla você? Timidez, insegurança, fobia, sentimento de incapacidade?

Veja esta metáfora. Havia cem ratinhos competindo para subir ao topo do maior edifício do mundo, em Dubai. Após a largada, todos saíram em disparada, mas durante a subida um falava para o outro: "Vamos cair!", "Olha a altura!", "Vamos morrer!". A maioria despencava após subir dez metros. Uma minoria conseguiu escalar cem metros, porém só um ratinho atingiu o topo. Todos aplaudiram o vencedor. Ao perguntarem ao ratinho qual era seu

> Quem ouve todos os dias sobre uma crise econômica, por exemplo, tem grande dificuldade de dar um salto qualitativo, de se movimentar, de usar o caos para libertar a inventividade.

segredo, ele disse: "O quê?". Foi então que os outros ratos descobriram que ele era surdo.

Quem ouve todos os dias sobre uma crise econômica, por exemplo, tem grande dificuldade de dar um salto qualitativo, de se movimentar, de usar o caos para libertar a inventividade. Por isso, muitos economistas são ótimos em dar opiniões, mas não em empreender. O caos paralisa ou liberta sua capacidade de criar?

Devemos nos informar o suficiente para traçar metas, mas não para nos paralisar. Neste exato momento, há milhões de empresários amordaçados pelo medo do futuro, de falir, de perder clientes. O medo fechou o circuito da memória deles, algemou seu Eu e sua habilidade de se reinventar.

Esses profissionais são incapazes de lutar por seus sonhos, de abrir um sorriso, de motivar sua equipe dizendo: "Agora é que vamos mostrar nossa força e nossa capacidade de superação". São incapazes de encantar seus clientes, de ligar para eles apenas para dizer quanto são importantes, de oferecer algo novo, de cortar custos. São escravos da era moderna: a era do medo, da preocupação neurótica com a opinião dos outros.

Líderes são testados no estresse

Os grandes líderes só são descobertos nos vales sórdidos do estresse, nos terremotos sociais e econômicos. Os notáveis vencedores permanecem quando todos os demais batem em retirada diante dos predadores. Os vencedores certamente são imperfeitos, mas também são ousados. Às vezes choram, porém não se intimidam com falhas e lágrimas; ao contrário, usam-nas para irrigar a autodeterminação. Nada os tira de sua meta, nem mesmo a angústia ou a desmotivação.

Ser surdo para comentários pessimistas não significa ser alienado, e sim deixar de gravitar na órbita das dificuldades. Os ratos da história que olharam para baixo amedrontados e ouviram os comentários desesperados dos colegas abriram janelas killer (traumáticas), as quais produziram um estado de ansiedade tão grande que provocou o fechamento de milhares de janelas saudáveis com milhões de dados.

A melhor forma de deixar de ser o piloto de sua mente e assassinar seu sonho é gravitar na órbita dos outros. Ofensas, perdas, frustrações, rejeições, autopunição e traições

> Os vencedores certamente são imperfeitos, mas também são ousados. Às vezes choram, porém não se intimidam com falhas e lágrimas; ao contrário, usam-nas para irrigar a autodeterminação.

que vivemos em nossas escaladas destroem nossa ousadia e habilidade, fazendo-nos despencar. O que faz você sofrer acidentes emocionais ou o desvia de seus objetivos?

Há milhões de seres humanos incríveis, mas que se sentem derrotados, desinteligentes, incapazes de realizar grandes pesquisas, projetos, construir empresas sustentáveis. Eles sucumbem às crises. Não lhes falta capacidade; na verdade, sobram-lhes doses de medo e de falsas crenças. Na mente humana, há mais armadilhas mentais do que há presídios nas grandes cidades. Só que o cárcere mental é disfarçado com sorrisos, com maquiagem.

Porém, nenhuma mente é impenetrável. Só que não adianta tentar arrombar o cofre da própria mente e da dos outros; para abri-lo, é necessário usar as chaves corretas. Eu, por exemplo, acreditava que minha memória não era privilegiada, que eu não venceria minha preguiça mental e indisciplina, que não realizaria um grande projeto de vida. Vivia a magia dos derrotados. Intuitivamente, comecei a usar técnicas para abrir o cofre de minha mente e passei a entender que não existem pessoas desinteligentes; existem aquelas que não sabem equipar e exercitar sua inteligência.

A partir disso, descobri uma das maiores ferramentas para viver a magia dos vencedores: sonhos não são desejos. Desejos são intenções superficiais que não mudam nossa trajetória, enquanto sonhos são projetos de vida que revolucionam nossa história. Muitas pessoas são mal resolvidas, insatisfeitas, especialistas em reclamar porque não têm projetos de vida. O inferno emocional está cheio de pessoas bem-intencionadas. Vejamos.

6
Sonhos e desejos: as diferenças vitais

A emoção estável

Uma emoção instável se nutre com desejos; uma emoção estável se alimenta com sonhos. Duas palavras tão próximas, sonhos e desejos, mas há entre elas mais mistérios do que imaginam a psicologia e a filosofia.

Desejos – de ter bons amigos, de ser um excelente aluno, de gerenciar a ansiedade, de ser um ótimo profissional – não têm força para suportar o estresse que bate à porta. Sonhos, por sua vez, são projetos de vida que ganham mais força durante as derrotas ou crises. Só os sonhos podem nos fazer suportar as intempéries do estresse. Se eu não tivesse sonhos, não teria vencido minha mente desconcentrada, minha alienação social, minha inquietação emocional.

Muitas pessoas têm o desejo de virar a mesa em algumas áreas da vida, porém não elaboram sonhos nem dão o máximo de si para se reciclar. Assim, continuam doentes, fracassadas, aprisionadas no cárcere da rotina e do medo.

> O sonho precisa de disciplina; a disciplina, por sua vez, precisa de foco; o foco precisa de estratégia; a estratégia precisa de escolhas; e escolhas implicam perdas.

Entretanto, para ganhar musculatura, para superar uma mente estressada e torná-la produtiva, o sonho precisa de disciplina; a disciplina, por sua vez, precisa de foco; o foco precisa de estratégia; a estratégia precisa de escolhas; e escolhas implicam perdas. Se você não estiver preparado para abrir mão das facilidades da vida, a ansiedade ou até a preguiça mental o vencerão. Os mimos, o prazer imediato, a necessidade ansiosa de reconhecimento social abortarão seus projetos.

As ferramentas apresentadas neste livro não são de autoajuda, mas fruto de teses ligadas a uma área fundamental das ciências humanas: o Eu como gestor da mente, como protetor da emoção, como filtro de estímulos estressantes, como diretor do *script* da vida, como editor e reeditor do filme do inconsciente, como reinventor da própria história. As ferramentas para controlar o estresse, materializar os projetos e nos tornar produtivos estão ao alcance de todos, porém demandam treinamento e educação socioemocional.

Quem nasce em berço de ouro tem desvantagem competitiva

Depois que descobri a diferença entre sonhos e desejos, passei a ser controlado pelo grande sonho de entrar na faculdade de medicina e, de alguma forma, contribuir para aliviar a dor dos outros. Esse projeto me provocou, me empurrou e me levou todos os dias a superar o medo de me expressar, de levantar a mão e tirar minhas dúvidas em sala de aula. Não importava se os outros zombariam de mim, se minhas perguntas eram banais; eu tinha uma meta e a perseguiria com toda a minha energia mental.

Esse projeto de vida forneceu combustível à minha disciplina, determinação, transpiração, batalha. Foi então que eu, que antes nem caderno tinha, passei a estudar mais de dez horas por dia além do estudo em classe. Tinha foco e usei estratégias diárias para alimentá-lo. Não apenas anotava a matéria, como considerava fundamental que cada aula dada fosse uma aula estudada. Além disso, passei a revisar diariamente, por pelo menos cinco ou dez minutos, as últimas aulas de cada matéria que já havia estudado.

Essas estratégias expandiram meu rendimento. Desse modo, assimilava as informações, reciclava o aprendizado e saturava minha memória com tudo o que aprendia.

No começo não foi fácil. Não entendia a matéria, sentia sono, fadiga, até irritação. Queria sair correndo... Foi

> Ao vermos o sucesso de alguém, somos tentados a dizer "Ele tem sorte". Não conseguimos ver que, nos bastidores de sua história, houve lágrimas, desespero, gana, foco, estratégias, determinação.

então que descobri que a sorte "acorda" às seis da manhã; que sorte é o casamento da coragem com a oportunidade.

Ao vermos o sucesso de alguém, somos tentados a dizer "Ele tem sorte". Não conseguimos ver que, nos bastidores de sua história, houve lágrimas, desespero, gana, foco, estratégias, determinação. Se uma pessoa que nasceu em berço de ouro não aplica as ferramentas dos vencedores, pode não aproveitar as oportunidades que surgem, corre o risco de torrar a herança, de reclamar de tudo e de todos, de não construir um legado. Há muitos indivíduos que nasceram pobres, viveram privações, não tiveram apoio de nada nem de ninguém, porém usaram suas habilidades mentais para criar oportunidades, construir sua história, se reinventar na miséria social, transformar seu caos a fim de escrever seus mais nobres capítulos.

Existem alguns dons ou habilidades genéticas – Howard Gardner abordou essa tese em seu livro *Inteligências múltiplas* –, mas o maior dom é o que seu Eu pode construir como gestor da mente. Como autor de uma das raras teorias que estudam os papéis da memória e o processo de formação do Eu como autor de nossa história, afirmo que qualquer ser humano tem potencial para se tornar um brilhante matemático ou um excepcional maestro, um criativo escritor ou um notável físico, pois não há limites para a mente. Eu e você podemos não entender nada de música, mas, após anos de aplicação das teses que estou propondo, nos tornaremos maestros vibrantes.

Formando sucessores: transmitir a biografia, eis a questão

Lembre-se sempre de que quem acredita em dons estáticos ou no binômio sorte e azar tem grande chance de ser vítima de suas limitações, de privações, deboches, conflitos, crenças limitantes e de não ser o autor da própria história. A superstição é um câncer que asfixia a criatividade.

Ao realizar meu Programa de Gestão da Emoção com algumas famílias abastadas, conheci muitos filhos de milionários e de brilhantes intelectuais que ficavam à sombra dos pais. O Eu desses herdeiros se tornara conformista, incapaz de acreditar em si, de lapidar seu potencial, de superar seu conformismo, de agarrar as notáveis oportunidades para ir mais longe que seus antecessores.

Eu procurei educar minhas três filhas, Camila, Carol e Cláudia, para serem sucessoras, e não herdeiras. Dei menos presentes a elas do que os pais de suas amigas deram às filhas deles. Muitos anos antes de escrever os livros *Pais brilhantes, professores fascinantes* e *Pais inteligentes formam sucessores, não herdeiros*, eu já sabia, como psiquiatra, que dar presentes em excesso a crianças e jovens vicia o córtex cerebral destes, levando-os a necessitar cada vez mais de estímulos para sentir migalhas de prazer. Por isso, o maior presente que dei às minhas filhas foi minha história, o capital de minhas experiências, minhas lágrimas, meus erros, minhas perdas e as dificuldades que atravessei. É importante que os pais dividam sua história com os filhos. Contei a elas, por exemplo, que, quando adolescente, eu estava construindo um pesadelo; era vítima, e não diretor do *script* de minha história. Contei-lhes também que, para vencer minhas limitações, precisei mudar minha agenda completamente, tomar grandes decisões solitárias. Tive de parar de reclamar de tudo, de dar desculpas e de culpar os outros

> Tive de parar de reclamar de tudo, de dar desculpas e de culpar os outros por meus fracassos. Parei de terceirizar minhas escolhas; elas eram exclusivamente minhas, assim como as consequências.

por meus fracassos. Parei de terceirizar minhas escolhas; elas eram exclusivamente minhas, assim como as consequências. Tinha de ter sonhos infectados com disciplina, capazes de superar minha alienação.

Eu sabia que a herança, os prazeres imediatos e a vida fácil asfixiariam a disciplina e as habilidades mentais de minhas filhas. Elas poderiam não aprender a expor suas ideias, pensar antes de reagir, ser generosas e altruístas, trabalhar perdas e frustrações, correr riscos, se reinventar, lutar por seus sonhos, ter garra e disciplina. Elas têm seus defeitos – e que bom que não buscam incessantemente a perfeição, e sim se superar a cada erro e conflito –, e eu tenho orgulho de ser o pai delas.

7

Eu: o grande gestor do estresse

Sem gestão da psique, não há metas claras

Estamos numa era ainda primitiva quanto à compreensão sobre os papéis do Eu como gestor da mente humana. Suas funções mais básicas não são trabalhadas pelo sistema educacional. Nosso Eu nem sequer exerce controle de qualidade sobre os pensamentos perturbadores, a ansiedade, a impulsividade, a intolerância, o radicalismo, o extremismo; não qualifica emoções fóbicas, a angústia, a raiva, o ódio, a inveja, o ciúme, a irritabilidade e a impaciência. O potencial humano é ilimitado, mas é frequentemente asfixiado.

Você conhece as emboscadas produzidas pelas janelas traumáticas ou killer? Seu Eu sabe proteger sua emoção? Ele dá um choque de lucidez em seus pensamentos angustiantes ou os deixa soltos, esperando que se dissipem espontaneamente? Tem consciência de que a abertura e o fechamento das janelas da memória podem produzir uma masmorra psíquica mais dramática do que um presídio de segurança máxima?

Se você quer ser um vencedor em qualquer área profissional, tem de descobrir a revolução desta ferramenta: o Eu pode ser equipado para ser gestor de sua mente e, assim, deixar de ser vítima de sua história e de suas limitações.

Todos sabemos que uma empresa, por menor que seja, precisa de um gerente financeiro e de um gestor de qualidade para administrar seus produtos e processos, caso contrário, corre um grande risco de falir. No entanto, por incrível que pareça, a mais complexa das empresas – a mente humana – não possui um executivo maduro, um gerente atuante.

Não é à toa que grande parte das pessoas apresenta uma série de sintomas psíquicos (insônia, ansiedade, irritabilidade, sofrimento por antecipação) e psicossomáticos (dores de cabeça e muscular, fadiga ao acordar, nó na garganta, pressão alta) que indicam e até gritam que a "empresa psíquica" está indo à bancarrota, à falência. E essas pessoas quase nada fazem para reciclar sua vida. São mentalmente surdas... Você tem boa audição intelectual?

Estatísticas chocantes

Tenho apontado em meus livros, tanto nos de não ficção quanto nos romances psiquiátricos, que o sistema social está doente, formando pessoas doentes para uma sociedade doente.

O grande desafio das escolas – do ensino fundamental à universidade – não é preparar alunos para provas, mas para o mercado de trabalho altamente competitivo e para o mercado das relações interpessoais altamente acidentado, para que eles se sintam realizados numa sociedade estressante. Ninguém brilhará no teatro social se não brilhar primeiro no teatro psíquico.

Pensadores como Sócrates, Platão, Aristóteles, Spinoza, Hegel, Marx, Freud, Einstein, Jung, Skinner, Piaget e Gardner não tiveram a oportunidade de estudar os papéis do Eu como gestor da psique, como protetor da emoção, como preservador da energia cerebral. Construíram, intuitivamente, ideias brilhantes ligadas ao processo de formação da personalidade, do aprendizado, da ética, das relações sociopolíticas, porém a compreensão do Eu como gestor do veículo mental ficou obscura.

O resultado? Não foram produzidas ferramentas para gerenciar a ansiedade e administrar o estresse, aliviar o estado de alerta cerebral, promover o relaxamento, a autonomia, a homeostase psíquica. As religiões e as práticas tais como ioga e meditação ocuparam esse vácuo da ciência. É respeitosa a atuação dessas filosofias e práticas; desrespeitosas são a letargia e a omissão da psicologia, da psicopedagogia, da psiquiatria nesse processo.

Os laboratórios científicos produzem vacinas contra pólio, sarampo, tuberculose. Já os laboratórios de psicologia, de ciências de educação e de sociologia deveriam promover a prevenção dos transtornos emocionais. No entanto, estamos na Idade da Pedra no que diz respeito à prevenção. Estávamos, pelo menos. Eu tenho sido uma das raras vozes e, talvez, a primeira a produzir conhecimento sobre as ferramentas do Eu como gestor da mente, a gestão da emoção, a necessidade de filtrar estímulos estressantes, a reedição da memória, o cárcere das janelas killer ou traumáticas.

Não sinto orgulho disso. Choro e me assombro com as pesquisas que indicam que mais de 3 bilhões de seres humanos, o que equivale a 50% da população mundial, desenvolverão algum transtorno psiquiátrico ao longo da vida: de dependência de drogas a graves fobias, de depressões a psicoses, de transtornos alimentares a transtornos ansiosos. E menos de 1% desses seres humanos acometidos receberá tratamento. Fico profundamente preocupado ao constatar que, apesar de estarmos na era da indústria do lazer, que deveria ter uma geração mais feliz, a qual acordasse pela manhã cantarolando, aplaudindo a vida, estamos na era da miserabilidade emocional, da geração mais ansiosa e estressada da história.

Você não se perturba com esses dados? Somos uma espécie doente porque nossa mente é uma aeronave mental cujo piloto, o Eu, não foi educado emocionalmente para usar os instrumentos de navegação do autocontrole.

Ganhos relevantes

Se estudarmos os papéis do Eu e potencializarmos suas habilidades, teremos mais possibilidade de desenvolver os amplos aspectos da inteligência e da saúde mental. Se assim o fizermos, teremos mais possibilidades de ter notáveis conquistas:

1. **Superar a necessidade ansiosa de ser perfeito.** Assim, seremos menos deuses e mais humanos, capazes de mapear nossas falsas crenças, crenças limitantes e conflitos. Falaremos mais de nós mesmos, sem medo de ser chamados de tolos, loucos, insanos, débeis.
2. **Superar a necessidade ansiosa de evidência social.** Teremos menor necessidade de ser o centro das atenções sociais e maior foco para contemplar o belo e fazer das coisas simples e anônimas um espetáculo aos olhos.
3. **Superar a necessidade ansiosa de poder.** Entenderemos que só é digno do poder quem o usa para servir a sociedade, e não para ser servido

por ela, um teste em que grande parte dos líderes políticos e empresários não passaria.
4. **Superar o cárcere do individualismo, do egocentrismo e do egoísmo.** Teremos maior necessidade de contribuir anonimamente para os outros, ter um caso de amor com a sociedade. Pensaremos mais como humanidade e menos como indivíduos.
5. **Superar a necessidade ansiosa de criticar os outros.** Julgaremos menos e abraçaremos mais, excluiremos menos e promoveremos mais, inclusive os que pensam diferente de nós. Seremos menos carrascos dos outros e mais seus inspiradores.
6. **Superar a necessidade ansiosa de cobrar os outros.** Seremos mais tolerantes, generosos, flexíveis. Quem cobra demais dos outros (filhos, parceiros, colegas) está apto para trabalhar numa financeira, mas não para ter uma bela história de amor com as pessoas que o rodeiam. Cobrar demasiadamente é típico de um Eu que tem a necessidade neurótica de controlar os outros.
7. **Superar a necessidade ansiosa de se preocupar com o que os outros pensam e falam de nós.** Entenderemos que é impossível conviver com pessoas sem nos frustrar. Cedo ou tarde, as pessoas em quem você mais aposta e para quem mais se doa o decepcionarão, ainda que minimamente.

É impossível também que você corresponda a todas as expectativas dessas pessoas; você também as ferirá, ainda que não intencionalmente.

8. **Superar o cárcere do conformismo para entender que quem triunfa sem riscos torna-se um vencedor sem glórias.** Lutaremos mais por nossos sonhos, teremos menos vergonha de passar pelos vales dos vexames, pelos desertos das vaias, pelos picos do ridículo. Libertaremos o imaginário para pensar em outras possibilidades e propor ideias. Assim, seremos menos tolhidos pela timidez e pela insegurança.

9. **Superar a conduta de ser um consumidor emocional irresponsável.** Protegeremos mais nossa emoção, seremos consumidores emocionais inteligentes. Não transformaremos nossa emoção em terra de ninguém, onde perdas e frustrações nos invadem e nos destroem. Não compraremos ofensas que não criamos, críticas que são injustas, picuinhas a preço de ouro.

Paradoxos de um Eu imaturo

Freud e alguns teóricos do passado diziam que, nos primeiros anos de vida – em especial até os primeiros sete –, as vivências traumáticas formam a base de transtornos psíquicos futuros. E esses traumas não poderão ser superados sem a ajuda de processos terapêuticos. Contudo, à luz da compreensão do Eu como autor da própria história e do sofisticadíssimo processo de construção dos pensamentos, podemos adoecer em qualquer época, mesmo tendo vivido uma infância saudável. Podemos ser frustrados nas mais diversas áreas por não aprendermos a lutar por nossos projetos de vida.

Mas tenho uma grande notícia para você! Embora seja uma tarefa complexa, podemos reciclar nossas mazelas psíquicas, reescrever as janelas da memória em qualquer época e reconstruir nossa história. Ninguém é obrigado ou condenado a conviver indefinidamente com conflitos, fobias, impulsividade, ansiedade, pessimismo, timidez, complexo de inferioridade, comportamento autopunitivo ou destrutivo.

Infelizmente, porém, na maioria das pessoas o Eu é inerte, passivo, frágil, conformista.

E seu Eu, é conformista ou líder de si mesmo? Se o Eu não desenvolver algumas habilidades complexas, podem vir à tona algumas das dez consequências graves relacionadas a seguir:

1. Ser doente quando adulto, ainda que tenha tido um processo de formação da personalidade na infância isento de traumas relevantes.
2. Ser encarcerado dentro de si, ainda que viaje o mundo e viva em uma sociedade livre.

3. Ser frágil e desprotegido diante de contrariedades, mesmo que tenha guarda-costas e faça todo tipo de seguro: de casa, de vida, empresarial.
4. Bloquear a produção de novas ideias e de respostas inteligentes no ambiente socioprofissional, ainda que tenha um potencial criativo excelente.
5. Ser autodestrutivo, ainda que seja bom para os outros.
6. Causar bloqueios no psiquismo dos filhos ou dos alunos, ainda que seja um pai ou uma mãe apaixonado pelos filhos ou um professor eloquente.
7. Dilacerar seus romances, mesmo tendo certeza de que encontrou o parceiro ou a parceira da sua vida.
8. Ter desejos ou intenções superficiais, e não sonhos, como projeto de vida.
9. Ser instável, mentalmente preguiçoso, lento, desanimado, sem disciplina.
10. Não unir sonhos com disciplina para ter sucesso profissional, acadêmico, afetivo e social.

Vilões da saúde emocional

No teatro social, ninguém é tão importante quanto os professores, embora nossa débil sociedade não lhes dê a importância que merecem.

O sistema em que os professores estão inseridos é estressante e não forma seres humanos com consciência de que possuem um Eu. Muito menos de que esse Eu é constituído por mecanismos sofisticadíssimos, que deveriam desenvolver nobres funções vitais, sem as quais o indivíduo pode ficar completamente despreparado para pilotar o aparelho mental, em especial quando acometido por um transtorno psíquico grave, como dependência de drogas, depressão e ansiedade crônica. E, uma vez despreparado, o indivíduo será comandado pelas tempestades sociais e pelas crises psíquicas. Será um barco à deriva.

Um Eu malformado terá grandes chances de ser imaturo, ainda que seja um gigante na ciência; não terá brilho próprio, ainda que seja socialmente aplaudido; viverá de migalhas de prazer, ainda que tenha dinheiro para comprar o que bem desejar; será engessado, ainda que tenha grande potencial criativo.

Se fôssemos pilotos de avião, a melhor conduta talvez fosse nos desviar das formações densas de nuvens, mas, como pilotos da nossa mente, essa seria a pior atitude, embora seja a mais comumente adotada.

Em primeiro lugar, porque é impossível que o Eu fuja de si mesmo. Em segundo, porque, se exercitar a paciência a fim de deixar as emoções angustiantes se dissiparem espontaneamente para então seguir em frente, o Eu cairá na armadilha da autoilusão. A paciência, tão importante nas relações sociais, é péssima quando significa omissão do Eu em atuar no gerenciamento das dores e dos conflitos psíquicos. Eles se dissiparão apenas aparentemente. Na realidade, serão arquivados no córtex cerebral (a camada mais evoluída do cérebro) e farão parte das matrizes de nossa personalidade.

Em terceiro lugar, porque janelas traumáticas killer duplo P poderão se formar. Essas janelas aprisionam e desestabilizam o Eu como gerente da mente humana.

O incrível sonho de Beethoven

Beethoven foi um dos maiores músicos da história. Entretanto, perdeu aos poucos o instrumento mais importante para compor: a audição. Passou pelos vales da depressão e do desespero. A vida perdeu seu sentido. Seu cérebro esgotou sua energia.

O que fazer quando isso acontece? Se autoabandonar? Se autodestruir, se suicidar?

Talvez ele tenha pensado nessas hipóteses, porém seu Eu se levantou poderosamente e deixou de ser vítima dos traumas para ser protagonista da própria história. Para "ouvir" a música, Beethoven passou a encostar o ouvido na mesa a fim de sentir a vibração das notas. Dessa forma, a magia dos vencedores surgiu depois de

> **Quantas vezes perdemos o alvo por causa de simples acidentes no caminho? Muitas pessoas silenciaram seus mais importantes projetos não porque passaram por grandes sofrimentos, mas porque foram asfixiadas pelo cárcere da rotina e do trabalho.**

uma tempestade. Um surdo compôs incríveis sinfonias. Foi notável sua superação.

E você, o que fez com seus sonhos quando as perdas e as crises abarcaram sua história? Se você perdesse a audição, desistiria de ser um compositor? Quantas vezes perdemos o alvo por causa de simples acidentes no caminho? Muitas pessoas silenciaram seus mais importantes projetos não porque passaram por grandes sofrimentos, mas porque foram asfixiadas pelo cárcere da rotina e do trabalho. Traíram o que mais amavam. Você tem traído seus sonhos?

8

Drogas e fobias: combustíveis para o estresse

Drogas sabotam os sonhos

As pessoas que usam drogas depositam bombas no solo de seu córtex cerebral. Pode parecer inofensivo aspirar uma carreira de cocaína ou fumar uma pequena pedra de *crack*, mas, sem saber, com esse gesto, o usuário está incitando o poderoso fenômeno do Registro Automático da Memória a construir as janelas killer duplo P.

Na próxima vez em que esse usuário estiver tenso ou numa roda de amigos e alguém lhe oferecer droga, outro fenômeno inconsciente, o gatilho da memória, será acionado; ele é disparado com espantosa velocidade e, com incrível habilidade, consegue encontrar, em meio a milhares de janelas ou arquivos, a janela killer duplo P que tinha registrado a experiência. O processo então se repetirá, e a experiência com a nova dose será arquivada no mesmo *locus* pelo fenômeno RAM. Com o passar do tempo, esse arquivo deixa de ser solitário ou isolado no córtex cerebral e se torna um núcleo de habitação do Eu, uma masmorra psíquica. É mais fácil construir presídios na mente humana do que nas grandes cidades. Na sociedade, presídios demoram anos para ser erguidos; na mente, segundos.

Quantas pessoas prometem que vão abandonar o uso de álcool e outras drogas e traem suas intenções? Suas intenções são desejos, e não sonhos. Como eu disse, desejos são superficiais; seu entusiasmo é como o de um cogumelo, que nasce do dia para a noite e morre na primeira dificuldade. Já sonhos são projetos de vida; nem com suor, sangue e lágrimas são abandonados. O que o move: sonhos ou desejos?

Muitos indivíduos traem seus desejos não porque não são sinceros consigo, mas porque caem nas armadilhas das janelas killer duplo P. Seu Eu se aprisiona dentro de si, na masmorra da fissura, do humor deprimido, da falta momentânea de sentido de vida. Dezenas de milhões de jovens não sabem que nada destrói tanto os sonhos de um ser humano quanto o uso de drogas. Mesmo a maconha pode trazer sérias consequências socioemocionais. Seu uso

> **Sonhos são projetos de vida; nem com suor, sangue e lágrimas são abandonados.**

frequente pode desencadear alguns transtornos mentais, além de asfixiar a motivação, a garra, a capacidade de recomeçar e de transformar perdas em ganhos.

Não apenas dependentes químicos, mas também psiquiatras e psicólogos deveriam estudar o processo de formação das janelas da memória e de gestão do Eu sobre a mente para compreender o mecanismo bombástico que se instala no inconsciente. O volume de tensão de uma janela killer duplo P que advém, por exemplo, do uso de cocaína é tão grande que bloqueia milhares de outras janelas saudáveis, levando ao desenvolvimento da Síndrome do Circuito Fechado da Memória. Nesse caso, o Eu não conseguirá encontrar milhões de dados num determinado momento para dar respostas rápidas e eficazes capazes de levá-lo a ser líder de si mesmo.

Exemplos encorajadores de superação da autossabotagem

A Síndrome do Circuito Fechado da Memória sabota o Eu como autor da própria história durante o processo de compulsão pelas drogas. O desejo de usar uma nova dose da droga controla o usuário, asfixia sua autonomia, seu poder de decisão. O desejo de superar a impulsividade, a autopunição, o sentimento de culpa, o humor depressivo, as fobias também fica comprometido. O usuário de droga se torna escravo em uma sociedade livre.

Todavia, se o Eu aprender a fazer a técnica do DCD (duvidar, criticar e determinar) e a mesa-redonda do Eu, entre outras, como preconizo no programa Freemind, poderá deixar de ser escravo das janelas traumáticas e reeditá-las.

O uso de drogas é uma das mais importantes causas sepultadoras dos sonhos da juventude mundial. A heroína, a cocaína e o *crack* formam no indivíduo janelas killer altamente aprisionadoras. O tetraidrocanabinol, substância psicoativa da maconha, demora mais tempo para instalar a dependência, porém o grande problema está no fato de que a maconha afeta a cognição, a memória e a motivação.

Há cerca de 8 milhões de usuários de drogas lícitas e ilícitas só no Brasil, e 30 milhões de pessoas são afetadas diretamente pela farmacodependência. Tornamo-nos uma sociedade insegura, inclusive nas cidades pequenas, por causa da explosão do uso de drogas. No entanto, é possível prevenir sistematicamente o uso de drogas por meio do treinamento do Eu para ser líder de si mesmo. É possível também livrar essas pessoas da dependência através da prática de técnicas para reescrever sua história psicossocial.[1]

---

1. Quem quiser se informar sobre a metodologia que reescreve essa história pode escrever para gestaodaemocao@yahoo.com, contato de uma comunidade terapêutica que usa a ferramenta de *coaching* de gestão da emoção.

Escrevo estas palavras a algumas horas de dar a conferência de encerramento do III Congresso Internacional Freemind. Entre as muitas notícias que recebi sobre a aplicação eficiente do programa, no qual eu e uma grande equipe trabalhamos gratuitamente, uma em particular chamou minha atenção: a de um usuário de *crack* que já havia sido internado quarenta vezes. Ele sempre fora vítima de sua história, mas está estudando e praticando diariamente as ferramentas Freemind há quase um ano e, assim, aprendendo a proteger a emoção, gerenciar os pensamentos e aplicar outras técnicas para reeditar seus fantasmas mentais e dirigir o *script* de sua história.

É encorajador ouvi-lo. Um caso aparentemente irrecuperável tem apresentado um salto de superação. Ele diz que nunca se sentiu tão livre e, ao mesmo tempo, tão vigilante. Conheceu as masmorras que o asfixiavam. Está caminhando bem, porém sabe que isso não é garantia de que conhecerá a verdadeira liberdade. Precisará construir no córtex cerebral imensas plataformas de janelas light. Usando a metáfora da cidade, ele precisará construir núcleos de habitação do Eu para ser seguro, proativo, estável, autocontrolado, gestor de si mesmo. A liberdade estará ao seu alcance, assim como de todos, não importa o número de fracassos, de falsas promessas e de recaídas. Lembre-se de que o destino é uma questão de escolha; ser livre é uma decisão diária e solene do Eu.

Outro exemplo. Um usuário crônico de drogas com família, filha e boa formação escolar, depois de muitas tentativas frustradas de ser livre, se abandonou e virou um morador de rua. Viveu quinze anos no caos. Certa vez, pediu dinheiro a uma mulher, que disse que não tinha mas lhe deu o livro que estava lendo e do qual estava gostando muito, *O futuro da humanidade*. O homem sentiu raiva por não conseguir o dinheiro, porém resolveu pegar o livro. Ao lê-lo, ficou perplexo com a história de Falcão. Aprendeu com o personagem – um pensador que havia tido um surto psicótico e sido desprezado por tudo e por todos – que é possível se reconstruir, ainda que o mundo desabe sobre si.

Aprendeu também que ele próprio era um mendigo no território da emoção, uma marionete social que desconhecia o que era ser livre. Impactado pelo texto, começou a reescrever sua história. Saiu das ruas, das drogas, voltou para a família, chorou muito, inclusive nos ombros da filha. Pediu-lhe sinceras desculpas. Hoje, anos depois, trabalha numa instituição que cuida de moradores de rua. Procura dar o melhor de si para aqueles que desistiram da vida.

Fobias: um algoz estressante

Não há mendigos apenas nas ruas, abandonados; há também milhões de mendigos no território da emoção, que habitam belos apartamentos e casas confortáveis, vestem roupas de marca, mas são intensamente estressados, deprimidos, fragmentados, e ninguém os acolhe ou abraça.

Deveríamos saber usar nossos instrumentos para enfrentar e reciclar o humor deprimido, o pânico, as tensões, a ansiedade, a autopunição, enfim, nossas mazelas emocionais. A fobia é uma aversão irracional ao objeto fóbico, como insetos, elevadores, falar em público. A dependência de drogas, por sua vez, é uma atração irracional por uma substância. São dois lados do mesmo planeta emocional; tanto uma como a outra são nutridas pelas janelas killer duplo P, produzidas por um registro superdimensionado de experiências doentias.

Depois que essas janelas se instalam, são acessadas e se expandem, o cárcere psíquico se cristaliza. Todas as fobias estressam nosso cérebro e sabotam nossos sonhos, em destaque as que atuam diária e constantemente, como a

> A fobia é uma aversão irracional ao objeto fóbico [...]. A dependência de drogas, por sua vez, é uma atração irracional por uma substância. São dois lados do mesmo planeta emocional; tanto uma como a outra são nutridas pelas janelas killer duplo P [...].

timidez, o medo de falar em público e o medo de lugares fechados.

Nunca as fobias assombraram tanto o ser humano como na modernidade. Dificilmente um ser humano escapa de seus tentáculos. São tipos de fobia:

1. Claustrofobia: medo de lugares fechados.
2. Fobia social: medo de falar em público e debater ideias.
3. Timidez: medo de se expressar nas relações interpessoais.
4. Fobia simples: medo de pequenos animais, como aranhas (também conhecido como aracnofobia).
5. Agorafobia: medo de sair de casa.
6. Acrofobia: medo de altura.
7. Tecnofobia: medo de novas tecnologias.
8. Medo de correr risco (conformismo): medo de andar por ares nunca antes respirados.
9. Síndrome do pânico: sensação súbita e iminente de morrer ou desmaiar.
10. Hipocondria: medo de adoecer.
11. Futurofobia: medo do amanhã.
12. Medo do desconhecido.
13. Medo do medo.

Após instalada uma fobia, o verdadeiro monstro não é mais o objeto fóbico, mas o arquivamento da experiência traumática. Uma barata vira um dinossauro, uma nova tecnologia gera aversão devido ao sentimento de incapacidade em aprendê-la. Um vexame público pode bloquear o debate de ideias. Uma traição pode asfixiar a entrega em um novo relacionamento. Esses arquivos killer estressam o cérebro de tal maneira que podem fechar o circuito da memória e controlar a mente do portador da fobia, dissipando sua tranquilidade, sabotando seu raciocínio, asfixiando sua ousadia. O cérebro se arma para fugir, e não para pensar.

Jamais devemos fugir do conflito. Enfrentá-lo com inteligência é a chave para controlar o estresse. Aplicar a técnica do DCD é fundamental. Duvide de tudo o que o controla; critique o cárcere das fobias, da insegurança; e determine estrategicamente ser mentalmente livre, líder de si mesmo, autor de sua história. Como realizar essa técnica? Usando sua própria habilidade intelectual inúmeras vezes durante o dia. Você não pode deletar as janelas traumáticas, mas tem grande chance de reeditá-las. Essa técnica não anula

> Jamais devemos fugir do conflito. Enfrentá-lo com inteligência é a chave para controlar o estresse.

um eventual tratamento psiquiátrico e/ou psicoterapêutico, mas, sem dúvida, pode atuar como um notável complemento extraconsultório e, melhor ainda, pode ser poderosamente preventiva.

Que tipo de atitude você toma diante de suas fobias? E dos conflitos que retiram o oxigênio de seu encanto pela existência? E dos estímulos estressantes que o tiram do ponto de equilíbrio? E das preocupações que expandem sua ansiedade e sua irritabilidade? Deixamos o veículo mental seguir sua trajetória sem intervirmos. Somos ingênuos em relação ao funcionamento da mente. Não entendemos que há um fenômeno (RAM) que registra no córtex cerebral todas as experiências não gerenciadas pelo Eu, desertificando áreas nobres de nossa personalidade. Por esse ângulo, a psicologia e a psiquiatria precisam se reciclar. Um indivíduo não adoece apenas por atravessar os vales dos traumas, das privações e das perdas, mas também por ser um gestor ineficiente de sua mente.

Infelizmente, em nossa sociedade, o Eu é treinado para ficar calado no único lugar em que não deveria silenciar; é adestrado para ser submisso no único lugar em que não poderia ser um servo; é aprisionado no único ambiente em que está destinado a ser livre. Quando não se gere a mente, os invernos e as primaveras emocionais ocorrem no mesmo dia; o céu da tranquilidade e o inferno da ansiedade flutuam intensa e descontroladamente.

9
Todas as escolhas implicam perda

Como contei antes, a decisão de construir meu destino me levou, mesmo sem que eu entendesse na época, a reeditar as janelas killer que me encarceravam. Meu Eu pouco a pouco saiu da plateia, da condição de espectador passivo, e subiu ao palco da mente para dirigir o roteiro de minha história.

Foi nesse momento que finalmente entendi outra ferramenta fundamental para mudar minha história: todas as escolhas envolvem perdas. Quem não estiver preparado para perder o irrelevante não conquistará o primordial. Eu era inconsequente, irresponsável, dado a festas e sem compromisso com o futuro. Para atingir o topo da montanha, eu precisava deixar de me arrastar no solo.

Muitas pessoas querem conquistar seus filhos, seus amigos, seus parceiros, entretanto não reciclam a própria impulsividade, irritabilidade e capacidade doentia de julgar, cobrar, diminuir os outros. Nunca os conquistam, pois não sabem perder.

Muitos querem ter saúde emocional, porém não dão importância a seu sono, não treinam relaxar, insistem em ser máquinas de trabalhar, são vítimas da SPA. Nunca se preocupam em aprender a proteger sua emoção e filtrar estímulos estressantes. Não sabem fazer escolhas. Podem até se tornar heróis um dia, porém numa UTI.

Gosto de lembrar Abraham Lincoln, um dos maiores políticos que a história conheceu. Ele viveu a magia dos vencedores, aplicou intuitivamente boa parte das ferramentas apresentadas nesta obra. Se as ensinássemos em todas as escolas do mundo, desde os anos iniciais, políticos como ele não seriam raros, mas surgiriam em grandes safras.

Ver o sucesso de alguém nos encanta, mas, por trás do sucesso, há notáveis fracassos. Essa foi minha história e a de muitos outros. Abraham Lincoln foi um colecionador de perdas até assumir a presidência dos Estados Unidos. Ele fracassou nos negócios, perdeu a noiva, falecida, foi derrotado em várias eleições para deputado estadual e federal e para senador, foi preterido como vice-presidente. Seu apelido bem que poderia ter sido "Senhor Fracasso".

Todavia, quando um sonho nos controla, quando não acreditamos em sorte e partimos atrás de oportunidades em vez de esperar que elas surjam; quando, além disso, usamos a dor para nos construir, e não para nos destruir, os desprezos passam a nos nutrir, os vexames nos revigoram, as derrotas nos fazem mais fortes. O colecionador de derrotas, por se reciclar e se preparar continuamente, transforma-se num notável vencedor. Por fim, todos os conformistas aplaudem os empreendedores.

Abraham Lincoln fez coisas incríveis. Sem ele, os Estados Unidos seriam um país fragmentado entre o Norte e o Sul. Ele libertou os escravos na década de 1860; entretanto, por desconhecer o funcionamento da mente, não usou técnicas para impedir que o preconceito continuasse arraigado no inconsciente coletivo de milhões de norte-americanos. Mudar a lei sem desatar as armadilhas da emoção não resolve o preconceito. Faltou unir o sonho da liberdade com a disciplina educacional para mudar a mente das pessoas, principalmente a dos brancos.

Não é fácil mudar o caráter de um povo, sua ética, seu compromisso social, seu senso de coletividade e, consequentemente, romper o cárcere do egocentrismo. É cada vez mais necessário reeditar com disciplina as janelas killer, já que é impossível apagá-las. Sem reeditar esses arquivos traumáticos, os tímidos continuarão sendo inseguros, os pessimistas continuarão sofrendo pelo futuro, os conformistas continuarão sendo escravos de seus medos.

Um grande sonhador: o destino não é inevitável

O líder negro norte-americano Martin Luther King sonhou com uma sociedade livre não apenas na Constituição, mas também no território da emoção. Seu sonho o levou a ter foco, seu foco o levou a traçar estratégias: saía por ruas e avenidas das grandes cidades dos Estados Unidos proclamando liberdade e igualdade entre brancos e negros. Suas estratégias o levaram a fazer grandes escolhas, e suas escolhas, sabia ele, poderiam levar a perdas significativas. Luther King tinha consciência de que poderia ser morto. E o foi. No entanto, considerou o sonho da liberdade mais importante do que se esconder. Seu comportamento reescreveu uma importante página da história norte-americana.

Reitero: sonhos precisam de disciplina; disciplina precisa de foco; foco precisa de estratégias; estratégias precisam de escolhas – e todas as grandes escolhas implicam perdas notáveis.

Quanto você está disposto a perder em nome de grandes conquistas determinará seu êxito. Depois de 20 mil sessões

> "Quanto você está disposto a perder em nome de grandes conquistas determinará seu êxito."

de psicoterapia e consultas psiquiátricas e de décadas pesquisando a inteligência humana, estou convicto de que cada pessoa tem habilidades incríveis. Contudo, poucos as desenvolvem, lapidam, treinam. Há os que torram dinheiro; outros desperdiçam potencial intelectual. E você?

Todos nós devemos entender que, frequentemente, o destino não é inevitável, mas uma questão de escolha. Muitos querem o perfume das flores, porém poucos sujam as mãos para cultivá-las. Se acreditasse em destino, eu estaria perdido. Todas as minhas circunstâncias externas e internas apontavam para o fracasso. Dois anos depois de decidir correr atrás do meu sonho, passei da condição de péssimo aluno de uma escola pública para a de um dos melhores em matemática, química e física. O resultado? Finalmente entrei em quinto lugar na faculdade de medicina entre mais de 1.500 alunos. Foi uma grande festa! Amei o perfume das flores, mas com humildade tinha aprendido a sujar as mãos para cultivá-las.

Os sonhos e a disciplina venceram. Sorri, alegrei-me, festejei, entretanto não sabia que meus mais áridos desertos ainda estariam por vir.

> Se acreditasse em destino, eu estaria perdido. Todas as minhas circunstâncias externas e internas apontavam para o fracasso.

10

A dor nos destrói ou nos constrói

A dor se tornou minha notável mestra

Tudo parecia perfeito na faculdade de medicina, porém, no segundo ano, atravessei os vales sórdidos do estresse mental, os desertos inóspitos de um estado depressivo. Não sabia que a depressão era o último estágio da dor humana. Não sabia que as palavras eram pobres para descrevê-la.

Sempre fui alegre, sociável, bem-humorado. Curtia a vida como poucos. Todavia, eu era hipersensível. Não tinha proteção emocional. E minha mãe também não. Apesar de ser uma pessoa encantadora, ela tinha períodos de uma emoção sofrível. Meu pai era bem-humorado, ativo, dinâmico, um ser humano incrível, embora tivesse baixa capacidade para suportar contrariedades. Mesmo pessoas admiráveis falham. Numa existência tão breve, muitas pessoas têm a necessidade neurótica de mudar o esposo ou a esposa, o que transforma a relação familiar numa fonte de estresse para os filhos.

> Só mais tarde, já como pesquisador, eu entendi outra ferramenta para controlar o estresse: por trás das pessoas que nos ferem, sempre há pessoas feridas.

Discutir constantemente também cria circuitos cerebrais viciantes. Há casais que se amam, mas não conseguem apaziguar os ânimos e viram especialistas em atritos. Vivenciar tumultos familiares contribuiu para desproteger minha emoção. Só mais tarde, já como pesquisador, eu entendi outra ferramenta para controlar o estresse: por trás das pessoas que nos ferem, sempre há pessoas feridas.

Não devemos culpar ninguém por nossas mazelas psíquicas, pois culpar tira a vitalidade do Eu para reescrever a própria história, levando-nos a ser reféns do passado. Quando, em minhas conferências, pergunto quem rumina perdas e frustrações, mais de um terço da plateia ergue a mão. Há milhões de seres humanos reféns da própria história. Devemos mapear e compreender nosso passado para reeditar as janelas traumáticas e, acima de tudo, equipar nosso Eu para ser autor de nossa história.

Quando tive minha crise depressiva, mergulhei dentro de mim, esquadrinhei minha dor. Deveria ter procurado um psiquiatra ou um psicólogo clínico, mas não o fiz – foi um erro, uma atitude não recomendável. Havia muito preconceito na época em procurar um profissional. Nesse dramático período, entendi que as lágrimas que não temos coragem de chorar são mais penetrantes e volumosas do que as que se encenam no palco do rosto.

Embora eu fosse sociável, não filtrava estímulos estressantes, vivia a dor dos outros, sofria por antecipação, era hiperpensante, ansioso, superpreocupado em agradar as pessoas e tinha enorme dificuldade em lidar com perdas. Era um bom sujeito, mas não para mim; era meu próprio carrasco, completamente desprotegido emocionalmente. Perdi momentaneamente o sentido de minha existência, asfixiei meu prazer de viver, minha mente foi assaltada por pensamentos pessimistas. Eu era, como toda pessoa deprimida, um prisioneiro em uma sociedade livre. Sorria por fora, mas chorava por dentro. Tinha muitos amigos, mas não havia ninguém com quem viver a matemática da emoção: quando você divide, você aumenta...

No entanto, não me intimidei. Não fui passivo; ao contrário, usei as ferramentas que estou descrevendo para me superar. Em vez de me considerar vítima do mundo e de minha história, impugnei, confrontei e discordei de minha crise depressiva, como um advogado de defesa faz no tribunal. Meu Eu estava frágil e debilitado. Mesmo assim, ao mesmo tempo que mapeava minha história, comecei a gritar no silêncio de minha mente: "Não nasci assim, não serei assim! Discordo em ser escravo de minha dor".

> Era um bom sujeito, mas não para mim; era meu próprio carrasco, completamente desprotegido emocionalmente. Perdi momentaneamente o sentido de minha existência, asfixiei meu prazer de viver, minha mente foi assaltada por pensamentos pessimistas.

Mais uma vez, eu vivia a tese segundo a qual o destino não é inevitável, mas sim uma questão de escolha; eu escolhi ser feliz e saudável.

Procure dentro de si o seu próprio endereço

Foi nesse mergulho introspectivo, em que observei meu próprio caos emocional, que entendi mais uma ferramenta daqueles que alcançam suas metas: a dor nos destrói ou nos constrói. A maioria das pessoas usa a dor para se punir, se diminuir, se isolar. Quanto a mim, usei-a como lâmina para me lapidar, como mestra para me ensinar a procurar o mais importante de todos os endereços: o meu próprio. Um endereço que poucos encontram.

Você já encontrou o seu endereço? O que faz com sua dor – a crise financeira, a rejeição, o pânico, o humor depressivo? Você a usa para se tornar mais forte ou é controlado, judiado, asfixiado por ela? Usá-la para se construir potencializa, inclusive, a ação de medicamentos psicotrópicos e as técnicas psicoterapêuticas.

E como eu usei a dor para me construir? Faço um relato detalhado no livro *Gestão da emoção*, uma das mais importantes obras que escrevi. Nele, há muitas técnicas para o desenvolvimento das habilidades pessoais e profissionais, do raciocínio complexo, da gestão da emoção para promover a saúde emocional. Enumero algumas aqui:

1. Renunciar a ser perfeito.
2. Ter autoconsciência: perguntar continuamente sobre o próprio conflito.
3. Fazer um automapeamento: mapear os próprios fantasmas mentais.
4. Estabelecer metas claras: saber onde está e aonde quer chegar.
5. Ter foco e disciplina.
6. Todas as escolhas implicam algumas perdas.

Meu conflito me levou a me interiorizar profundamente e a desenvolver a arte da pergunta em seu sentido mais amplo. Sem saber muito claramente como mapear meus fantasmas

> "A maioria das pessoas usa a dor para se punir, se diminuir, se isolar. Quanto a mim, usei-a como lâmina para me lapidar, como mestra para me ensinar a procurar o mais importante de todos os endereços: o meu próprio."

mentais, eu me perguntava diariamente: Como penso? Por que penso? Qual é a natureza de meus pensamentos? Que vínculo têm os pensamentos com as emoções? Por que sou escravo do sofrimento antecipatório? Por que não sou livre no território da emoção? Por que não a controlo?

Parecia um maluco tentando entender os fenômenos que me escravizavam. Questionava-me continuamente e escrevia tudo, todas as respostas, superficiais ou profundas. O processo de me descobrir e me descrever tornou-se incontrolável. Naqueles momentos de dor, nasceu o escritor e pesquisador. Nasceu um investigador deslumbrado com a construção de pensamentos, um questionador perplexo com o psiquismo humano, atônito com a confecção das ideias, ainda que estas fossem aterradoras, perturbadoras, angustiantes.

Um passaporte para a mais fascinante viagem

O sofrimento tornou-se meu passaporte para fazer a mais fascinante viagem, uma que poucos se arriscam a fazer: a viagem aos bastidores do planeta mente. Eu observava meus colegas de medicina, professores, pacientes, irmãos, amigos, e não via ninguém perplexo com o fenômeno da vida, com o ato de pensar. Tudo parecia banal, comum. Parecia que eram deuses que sabiam muito sobre o que eu desconhecia ou que estavam entorpecidos pelo sistema social, o qual nos transforma em números de passaporte e de cartão de crédito. Nunca mais parei de escrever, ler, pesquisar. Nunca mais interrompi o interesse por penetrar generosa e profundamente em minha mente e na de meus pacientes.

Mesmo como estudante de medicina, antes de enveredar para a psiquiatria e a psicoterapia, comecei a atender os pacientes de forma diferente. Queria conhecer cada um deles: ir além de um fígado com cirrose, de um estômago com úlcera, de um cérebro com tumor cancerígeno, para penetrar em fobias, angústias, ideias, pesadelos, atuação do Eu. Este era meu prazer.

Descobri algo simples e bombástico, mas que poucos sabem: tanto um paciente psicótico quanto um profissional de saúde mental, tanto um mendigo quanto um magnata apresentam a mesma complexidade no processo de construção de pensamentos. Por isso, toda classificação é estúpida. É intelectualmente tolo e débil classificar uns como celebridades e outros como anônimos, uns como normais e outros como anormais, uns como milionários e outros como miseráveis. Cada um de nós é um universo a ser explorado.

Eu escrevia minhas ideias no diretório acadêmico, numa sala escura, úmida, lúgubre, cheia de lixo, com milhares de caixas com amostras grátis de remédios que recebíamos dos laboratórios espalhadas pelo chão. Era um ambiente horrível, mas era meu ambiente, era meu paraíso intelectual. Eu ficava horas isolado, todos os dias.

Certo dia, interrompi meus estudos e convidei uma paquera, uma estudante de medicina como eu, para tomar um suco. Quando estávamos saindo da sala, um bilhete caiu de meu bolso – eu carregava centenas deles, pois fazia anotações sobre o comportamento dos outros e sobre minha mente em qualquer lugar. Para que a garota não pensasse que o bilhete era de outra, eu logo intervim: "Olhe, eu não sou muito normal... Estou pesquisando e escrevendo sobre o funcionamento da mente". Como o amor é ilógico, ela não desistiu daquele relacionamento ao me ouvir dizer isso.

Do terceiro ao sexto ano de medicina, preenchi centenas de páginas com observações, reflexões, análises e conclusões. Nessa trajetória, descobri outra ferramenta para transformar meus sonhos em realidade: nada é tão

> Você tem medo da solidão? Consegue ficar sozinho, desligado do *smartphone* e das redes sociais? O tédio o perturba? O risco de ser uma máquina de trabalhar, de realizar atividades, de resolver problemas, de usar a internet é grande nesta sociedade urgente e ansiosa.

importante para a criatividade quanto a solidão; quem tem medo da solidão não consegue se interiorizar, se questionar, libertar seu imaginário e construir ideias próprias – é um mero repetidor de dados.

Você tem medo da solidão? Consegue ficar sozinho, desligado do *smartphone* e das redes sociais? O tédio o perturba? O risco de ser uma máquina de trabalhar, de realizar atividades, de resolver problemas, de usar a internet é grande nesta sociedade urgente e ansiosa.

Você não imagina o que está perdendo por não entrar em camadas mais profundas de sua mente. Você pode ter defeitos, se irritar com tolices, ser agitado, sofrer pelo futuro, mas sua biografia é única. Você pode ser descartado como profissional se não desenvolver habilidades socioemocionais como proatividade, ousadia, flexibilidade; como ser humano, entretanto, você é insubstituível. Se sua autoestima for baixa, você estará sendo injusto com sua complexidade.

Jamais deveríamos nos colocar no rodapé da história social nem no de nossa própria história. Investir em nossa saúde emocional é vital.

No caos nascem os grandes sonhos

Não há sonho mais belo do que usar nossa história e nossa profissão para aliviar a dor dos outros. A verdadeira felicidade nasce no solo da generosidade, pois o individualismo, o egocentrismo e o egoísmo depõem contra a saúde psíquica. Quem é individualista não é amável nem consigo mesmo. Quem é egocêntrico é seu pior algoz. Não relaxa nem curte a vida. Perturba a si e aos outros.

Apesar de meus defeitos, à medida que eu descobria, atônito, algumas áreas do funcionamento da mente e o mundo inimaginável que há dentro de cada ser humano, o sonho de produzir conhecimento e contribuir de alguma forma com a evolução socioemocional da humanidade passava a me controlar dia e noite. Quando me formei, eu tinha o sonho de publicar minhas ideias. Mas como? O que fazer? Ninguém me apoiou, ninguém me orientou. Então busquei o endereço das editoras, bati na porta sem marcar horário. Entreguei animado o material. Uns editores me acharam estranho, outros, louco, outros, ainda, ousado. Sabe quantas editoras me apoiaram? Nenhuma.

E eu precisava ganhar a vida, precisava trabalhar. Já estava casado. Logo tive grande espaço nos principais meios de comunicação do país. Anos depois, no auge da fama, com minha imagem pública estampada em jornais e TV, percebi que eu estava traindo meu maior sonho. Troquei a exposição social pelo anonimato. Fui exercer a psiquiatria numa cidade do interior. E à noite, nos feriados, fins de semana, férias, eu escrevia. Me dedicava a escrever uma nova teoria sobre o processo de formação do Eu, o processo de construção dos pensamentos, os papéis conscientes e inconscientes da memória, o gerenciamento da emoção e o processo de formação de pensadores.

Foram mais de 25 anos de análise, pesquisa e produção de conhecimento; um tempo longo, saturado de aventuras, mas também de fadiga e perguntas irrespondíveis. Eu tinha agora mais de 3 mil páginas escritas, que resultaram na Teoria da Inteligência Multifocal. Quem iria publicar um livro tão grande? Que editora valorizaria um "tratado" de psicologia num país que não aplaude seus cientistas, muito menos os "teóricos" que produzem ciência básica, ainda por cima numa área em que poucos pensadores ousaram penetrar: a natureza dos pensamentos, seus tipos e processos construtivos? Para muitas pessoas, aquilo era um delírio, eu tinha desperdiçado muito tempo da minha vida. Enfrentei um intenso e indescritível estresse cerebral.

> Todos os que superam o caos, o preconceito, as rejeições e as críticas sociais andam fora da curva. São controlados por uma motivação quase inexplicável.

Todos os que superam o caos, o preconceito, as rejeições e as críticas sociais andam fora da curva. São controlados por uma motivação quase inexplicável. São abarcados por um estresse produtivo, e não por um estresse paralisante, que fomenta sintomas incapacitantes. Sob as chamas dessa motivação, eu resumi todo o meu material e o enviei a várias editoras. Mais uma vez, fui ingênuo ao crer que seria apoiado; mais uma dose de romantismo, mais um brinde da utopia que resultou em outro golpe em meus sonhos.

As respostas demoradas são doloridas, e as negativas são penetrantes. Elas demoravam meses para chegar. Após abrir a correspondência, eu tinha taquicardia, aumento da ventilação pulmonar, um refluxo de ânimo, e em seguida vinha a decepção. Nenhuma editora se interessou em publicar a teoria. Depois de mais de duas incansáveis décadas, meu sonho tinha se tornado um pesadelo. Eu beijaria a lona dos fracassados, estava condenado a enterrar nos solos de minha história o maior projeto de minha vida.

Mas lembre-se: sonhos sem disciplina produzem pessoas frustradas; o destino não é inevitável, mas uma questão de escolha; a dor não nos destrói, ela serve de nutriente para nos construir; as lágrimas não são vazias, elas irrigam a capacidade de nos reinventar.

Muitas pessoas que atravessam conflitos psíquicos não os resolvem não porque a sociedade as abandona, mas porque elas próprias se abandonam; não porque não têm potencial para reciclar seus traumas, mas porque não foram educadas para escrever os mais nobres textos nos dias mais tristes de sua existência.

Eu não podia me abandonar; se o fizesse, meu estresse cerebral seria abortivo: abortaria meus sonhos. Insisti, continuei, enviei novas cópias às editoras. Não há noite que resista à luz do sol. Cedo ou tarde, as angustiantes tempestades noturnas se deixam ser seduzidas pela sinfonia calma do dia. Cedo ou tarde, secretamos silenciosamente os rebentos nos rigorosos invernos existenciais que eclodem como flores perfumadas nas primaveras.

Por fim, uma editora apostou no projeto, e eu finalmente publiquei minha teoria no livro *Inteligência multifocal*. O editor sugeriu tirar mais de quinhentos termos para facilitar a densa leitura. O sonho que parecia quase impossível se realizou. No entanto, quase ninguém entendeu o que escrevi devido à complexidade da descrição dos fenômenos que operam em milésimo de segundo para ler a memória e construir cadeias de pensamentos.

Alguns acadêmicos diziam que estavam usando minha teoria em suas teses de doutorado, mas, como raras foram as pessoas que a entenderam, resolvi democratizar o acesso a ela, escrevendo livros de aplicação psicológica, sociológica e educacional. Reciclei a linguagem rebuscada e comecei a escrever e reescrever de forma mais compreensível, irrigada por metáforas. Escrever o complexo de forma simples é muito mais difícil do que escrever de forma hermética, fechada.

As 3 mil páginas que escrevi inicialmente resultaram em mais de quarenta livros. Ainda há mais de 2 mil páginas inéditas. Foi uma história interessante, tal como a sua é ou pode ser, se você fizer as escolhas corretas. Eu gostaria que os adultos e os jovens – principalmente estes – tivessem grandes projetos e lutassem por eles. Expus meus desertos para encorajá-los a não ser conformistas, coitadistas, consumistas, vítimas das crises, reféns do passado ou prisioneiros do medo do futuro.

Hoje, sou publicado em mais de 70 países, entre os quais Estados Unidos, Rússia, China, Coreia do Sul, Itália, Romênia, Sérvia, países da África e da América Latina.

> Expus meus desertos para encorajá-los a não ser conformistas, coitadistas, consumistas, vítimas das crises, reféns do passado ou prisioneiros do medo do futuro.

Relato humildemente que, todos os anos, mais de 10 milhões de pessoas me leem.

Além disso, universidades indicam meus livros. Diversas teses acadêmicas usam a Teoria da Inteligência Multifocal como referência. Escrevi o primeiro programa mundial de Gestão da Emoção, lançado no livro de mesmo nome.

Além do programa Gestão da Emoção, lancei o Freemind, um dos primeiros programas mundiais, se não o primeiro, de prevenção de transtornos psíquicos, para mais de 600 profissionais de vários países, entre eles mestres e doutores das áreas da psicologia, *coaching*, educação. Disponibilizei o programa gratuitamente para todos os povos, e vários países já estão se articulando para aplicá-lo. O Freemind contém doze ferramentas – entre elas, desenvolver o papel do Eu como autor da própria história, gerenciar pensamentos, proteger a emoção, filtrar estímulos estressantes, trabalhar perdas e frustrações, reeditar a memória.

Também desenvolvi o programa Escola da Inteligência e a Menthes. São mais de 200 mil alunos e quase 1 milhão de pessoas atingidos diretamente por esses programas de educação da emoção, gerenciamento da ansiedade, desenvolvimento do raciocínio complexo e formação do Eu como autor da própria história.

Diante de toda essa trajetória, sinto-me, com toda a sinceridade, apenas um servo da sociedade. Sou crítico do culto à celebridade, pois, nos bastidores da mente, tanto um mendigo quanto um homem listado na *Forbes* como um dos mais ricos do planeta, tanto um paciente psicótico quanto um intelectual têm a mesma complexidade e dignidade.

Todos têm sua genialidade

Por fim, eu, que era a segunda pior nota da classe, que vivia divagando, depois de toda essa trajetória, recebi o título de membro de honra de uma academia de gênios de um instituto de inteligência da Europa. "Eu, gênio?", pensei comigo. "Como engano bem!" Todos podem chegar aonde cheguei, ou ir muito mais longe, se aplicarem as ferramentas diariamente ao longo da vida.

Contudo, como autor de uma teoria sobre o desenvolvimento da inteligência, tenho convicção de que, mesmo que não sejamos gênios pela perspectiva da genética, ainda que nossa memória não seja excelente para armazenar e resgatar dados, podemos desenvolver uma genialidade funcional notável. Como?

Quando você aprende a proteger a emoção e filtrar estímulos estressantes, está sendo um gênio na saúde emocional. Quando aprende a gerenciar seus pensamentos, desacelerar sua mente e contemplar o que o dinheiro não pode comprar, está sendo um gênio na administração do estresse e da qualidade de vida. Quando pensa antes de reagir e se coloca no lugar dos outros, está sendo um gênio no desenvolvimento das relações sociais. Quando você se coloca como um eterno aprendiz, um pequeno caminhante que anda no traçado do tempo em busca de si mesmo, torna-se um gênio na criatividade e no autoconhecimento.

11

Resiliência e o gerenciamento do estresse

Cuidado com a autopunição!

Todos nós tropeçamos, falhamos, atravessamos crises, temos nossas loucuras. A melhor maneira de um ser humano fomentar seu insucesso em qualquer área é gravitar na órbita de seus fracassos, suas recaídas, seus medos, seu sentimento de incapacidade. Isso pode esfacelar seus sonhos e asfixiar sua disciplina. Quem se culpa em demasia pode afundar nos pântanos da autopunição.

Perdas, crises, decepções, traições, humilhações imprimem na memória, por meio do fenômeno RAM, múltiplas janelas traumáticas, algumas duplo P. Essas janelas contêm a representação do conflito. Elas nunca são apagadas do córtex cerebral, podendo apenas ser reeditadas. A única possibilidade de apagar a memória é por meio de lesões cerebrais, como um traumatismo crânio-encefálico, um acidente vascular cerebral, um tumor ou uma degeneração celular.

Devemos sempre trazer à nossa memória o pensamento de que cada ser humano é complexo e completo e possui, portanto, habilidades incríveis para reciclar sua história, embora a maioria use no máximo 10% do potencial de seu Eu (por isso, frequentemente somos espectadores passivos de nossos conflitos, limitações, fobias, insegurança, ansiedade).

Se utilizarmos a técnica do DCD, injetaremos combustível na construção dos sonhos e na aplicação da disciplina. O Eu deve ser treinado para sair da plateia diante de uma crise, de uma frustração, de uma traição, de uma perda financeira, de um drama afetivo, entrar no palco e bradar solenemente que dirigirá o roteiro de sua história, que não abrirá mão de atuar como ator principal. Uma pessoa que sempre se cobra demais está continuamente estressando seu cérebro e fomentando a autopunição, o que é um erro terrível.

Há psiquiatras e psicólogos notáveis que, por não conhecerem a dança das janelas light e killer nos bastidores do psiquismo, não preparam seus pacientes para as armadilhas emocionais e o enfrentamento das recaídas inesperadas e indesejáveis. É vital aprender a transformar o caos em oportunidade criativa e o drama em comédia.

É fácil ter sonhos e disciplina trafegando em céu de brigadeiro. O difícil, porém imprescindível, é tê-los quando atravessamos terremotos emocionais e sociais. E devemos ter consciência de que, cedo ou tarde, todos nós os atravessaremos.

Diante de tal existência complexa e imprevisível, é fundamental desenvolver uma das mais nobres funções da inteligência: a resiliência. Resiliência é uma característica de personalidade, uma habilidade multifocal e socioemocional à qual muitos acenaram de longe, mas que poucos conquistaram. É a ponte mais excelente entre a disciplina e os sonhos, sem a qual a magia dos vencedores se torna a magia dos traumatizados e o pesadelo dos derrotados.

Resiliência é um termo da física que tomamos de empréstimo na psicologia. Do ponto de vista das ciências físicas, a resiliência é a capacidade de um material para suportar tensões, pressões, temperaturas, adversidades. É a propriedade de se estender e assumir formas e contornos a fim de manter sua integridade, preservar sua anatomia, conservar sua essência.

Transposta para a psicologia, a resiliência é atribuída às habilidades do Eu em ser autor de sua própria história e preservar os recursos do cérebro diante dos estresses da vida, capitaneados por conflitos, traumas, perdas, traições, humilhações e crises econômicas, sociais, políticas. Para a Escola Menthes e a Escola da Inteligência, programas que desenvolvi e utilizam minhas metodologias, a resiliência é uma das ferramentas mais notáveis da inteligência socioemocional. Uma mente resiliente é vital para o gerenciamento da ansiedade e do estresse. Sem resiliência, generais se tornam frágeis soldados, reis se tornam meninos no território da emoção, profissionais sucumbem a crises, casais apaixonados transformam seus romances no vale das discussões, jovens fazem de sua emoção terra de ninguém. Suas metas ficam obscuras, acidentadas. Para desenvolver resiliência é necessário realçar novos hábitos socioemocionais:

1. **Tornar o Eu capaz de suportar com maturidade as intempéries sociais, sem abandonar o barco ou desistir da vida.** Reclamar, autopunir-se, blasfemar, achar-se desafortunado, ser controlado por ciúme, raiva e sentimento de vingança são exemplos solenes de atitudes de um ser humano destituído de resiliência, imaturo emocionalmente. Um ser humano resiliente não tenta o suicídio nem agride os outros, mas escreve os capítulos mais importantes da vida nos dias mais dramáticos de sua existência.

2. **Tornar o Eu capaz de começar tudo de novo tantas vezes quantas necessárias.** É enfrentar contrariedades e manter a integridade. É preservar a saúde emocional mesmo quando nosso solo

desmorona e tudo o que programamos não funciona ou dá errado. Resiliência é manter nossa motivação para dar sempre uma nova chance para nós e para quem amamos. É ver o invisível, acreditar na vida e jamais apagar a chama da esperança, mesmo quando dizemos que não dá mais.

3. **Tornar o Eu hábil em ter plena consciência de que as relações interpessoais são complexas e, às vezes, traumáticas.** Um Eu resiliente não é ingênuo; ao contrário, tem consciência crítica. Sabe que, numa relação amorosa, depois que a paixão diminui, aparecem as roupas espalhadas pelo quarto, a pasta de dente espirrada no espelho e os sapatos fora do lugar. No entanto, em vez de atritar, um parceiro ou uma parceira resiliente doa-se mais e cobra menos, elogia mais e critica menos, dá risadas de algumas manias, sorri dos medos, vive a vida mais suavemente.

4. **Tornar o Eu capaz de desenvolver tolerância, generosidade e flexibilidade durante a jornada existencial.** Rigidez, radicalismo, autoritarismo, necessidade neurótica de levantar a voz e de impor as ideias, excesso de críticas, chantagens são características notáveis de quem não é resiliente. Quem tem esses comportamentos é um falso forte, um falso herói, prefere usar a força a usar a

inteligência. A resiliência exige coragem para expressar ideias, humildade para reconhecer erros e rapidez para mudar rotas.

5. **Tornar o Eu capaz de entender que o destino não é inevitável, mas uma questão de escolha, e de chamar a responsabilidade para si e não culpar a vida e os outros pelas derrotas.** Existe a tese de que, para ter sucesso, é preciso estar no lugar certo com as pessoas certas, porém essa situação é rara e depende de fatores que não controlamos. Quem vive acreditando em sorte e azar asfixia sua inteligência, retira a responsabilidade do Eu de se reinventar. Se as oportunidades não aparecem, um Eu resiliente deve construí-las. Culpar os outros, o chefe, a família, enfim, os estímulos externos por nossos fracassos é uma forma excelente de continuar sendo um derrotado, de aprisionar-se no cárcere da mesmice.

6. **Tornar o Eu capaz de se psicoadaptar às mudanças e transformar o caos em oportunidade criativa e não autodestrutiva.** Uma mente resiliente revoluciona o planeta, pelo menos o seu planeta particular. A magia dos vencedores exige doses notáveis de resiliência, e resiliência exige que não se desperdice energia na lama da autopunição, das derrotas e das perdas, mas que se utilize a vitalidade

para libertar o imaginário e encontrar novas soluções. Resiliência é, acima de tudo, a capacidade do Eu de se inovar, de usar o estresse a seu favor para se reinventar.

Prepare-se para as intempéries da vida

A resiliência prepara para a vida muito mais do que o ensino de matérias clássicas, como matemática, física, química. Na matemática numérica, dividir é diminuir; na matemática da resiliência, dividir é aumentar: quando se dividem determinados conflitos com os pais e professores, aumenta-se a capacidade de superação. Na física clássica, ação gera uma reação; na física da emoção, não devemos agir pelo mecanismo ação-reação, bateu-levou, pois a agressão retroalimenta a violência. Ao contrário, devemos nos treinar para pensar antes de reagir e entender que, por trás de uma pessoa que fere, há uma pessoa ferida. Essa habilidade filtra estímulos estressantes e promove a generosidade.

Independentemente de a escola de seu filho ter uma mensalidade cara, recursos multimídia ou um histórico com as melhores notas do país, questione se ela ensina matérias para a vida. Não basta ensinar valores como ética e honestidade, pois uma mente livre e uma emoção saudável

> **Uma pessoa que tem baixo grau de resiliência trabalha mal suas perdas, frustrações e adversidades, o que pode desencadear depressão, síndrome do pânico, ansiedade, sintomas psicossomáticos, dependência de drogas.**

requerem ferramentas emocionais mais profundas, como ser resiliente, flexível, ousado, inventivo, protetor da emoção. Muitos filhos adoecem sob o cuidado de pais que acreditaram ter dado o melhor para eles.

O grau de resiliência depende do grau de adaptabilidade e da capacidade de superação que o ser humano apresenta perante os acidentes que ocorrem em sua jornada de vida. Essa propriedade não é genética, mas aprendida. Todavia, esse aprendizado é complexo, não se realiza apenas incorporando na memória milhões de dados sobre o mundo exterior. É necessário conhecer minimamente o funcionamento do planeta psíquico. Uma pessoa que tem baixo grau de resiliência trabalha mal suas perdas, frustrações e adversidades, o que pode desencadear depressão, síndrome do pânico, ansiedade, sintomas psicossomáticos, dependência de drogas.

Sem sombra de dúvida, há crises e crises. Algumas são dramáticas, imprimem uma dor impossível de ser traduzida em palavras. Mas, em todas elas, é possível aplicar a ferramenta da resiliência para abrandar as tensões emocionais e as pressões sociais. Ninguém pode ser um grande vencedor no mundo de fora se não aprender antes a sê-lo em sua própria mente. Nutrir diariamente a resiliência é fundamental. Apresento seis princípios para nutrir a resiliência:

1. Ninguém é digno do pódio se não superar fracassos para alcançá-lo.
2. Ninguém alcança a maturidade se não usar suas lágrimas para irrigá-la.
3. Ninguém constrói sua saúde psíquica se não usar suas crises, suas fobias e suas depressões para destilá-la.
4. Ninguém é digno da liberdade se não aprender a pensar antes de reagir.
5. Ninguém é digno da tranquilidade se não mapear os vampiros emocionais (fobias, ciúmes, vingança, ansiedade, humor depressivo, impulsividade, autopunição etc.).
6. Ninguém reedita sua memória sem dar um choque de lucidez em seus pensamentos perturbadores e emoções angustiantes, em destaque usando as técnicas universais que formam mentes brilhantes, o DCD e a técnica da mesa-redonda do Eu.

A práxis dessas técnicas não apenas reedita o filme do inconsciente (janelas killer), mas também forma novos núcleos de habitação do Eu (janelas light) no córtex cerebral, capazes de expressar características saudáveis da personalidade, como segurança, autoconfiança, autocontrole, moderação, paciência, ousadia, flexibilidade.

Bem-vindos à revolução psicológica, sociológica e educacional no seio da humanidade. Prepare-se para uma mudança de paradigma: a transformação da era do bombardeamento de informações no córtex cerebral para a era do Eu como gestor da mente humana e autor da própria história.

12

O mestre dos mestres no gerenciamento do estresse

O mais excelente mestre da emoção

Há mais de dois milênios, existiu um professor que ensinava a proteger a emoção e controlar o estresse, mas, infelizmente, ele nunca foi estudado a partir do ângulo das ciências humanas. Ele revolucionou o processo de formação de pensadores e de mentes livres e tranquilas. Sabia provocar as pessoas a saírem da inércia, a romperem o cárcere da autocompaixão, do conformismo, das falsas crenças, da autopunição.

Ninguém que se aproximasse dele permanecia em sua zona de conforto. Ele era crítico do raciocínio unifocal, que retroalimenta a violência, pois se pauta no fenômeno bateu-levou. Era adepto da tese segundo a qual não devemos comprar o que não nos pertence. Sua paz valia ouro;

o resto era lixo emocional. Falatórios, calúnias, rejeições não mereciam crédito.

> De todos os pensadores que analisei, nenhum foi mais bombástico, surpreendente, inovador do que ele (Jesus). E nenhum foi tão injustiçado [...].

Uma de suas grandes metas era estimular o raciocínio complexo ou multiangular, que considera simultaneamente múltiplas possibilidades. Ele usava metáforas ou parábolas para treinar o raciocínio complexo. Quebrar preconceitos, romper paradigmas, vacinar contra a exclusão social eram outros de seus métodos. Ele não diferenciava as pessoas; colocava os loucos e os gênios na mesma classe. Não media esforços para abrir o cofre hermético da mente das pessoas, ainda que essa atitude colocasse sua cabeça a prêmio.

Para ele, as religiões podiam ser fonte de saúde psíquica ou de doenças mentais, dependendo do aprendizado ou não de comportamentos como se colocar no lugar dos outros, pensar antes de reagir, recolher as "armas" e abraçar mais e julgar menos.

Minha teoria não estuda apenas a sofisticada fronteira da construção de pensamentos, mas também o intricado processo de formação de pensadores. De todos os pensadores que analisei, nenhum foi mais bombástico, surpreendente, inovador do que ele. E nenhum foi tão injustiçado, inclusive por centenas de milhões de pessoas que dizem segui-lo. Por quê? Porque nunca estudaram seus comportamentos à luz da psicologia. O resultado? As religiões, ao longo dos séculos, não usaram as ferramentas para desenvolver saúde emocional, social, proteção cerebral, inventividade. Sem essas ferramentas, os religiosos têm o mesmo grau de exposição a transtornos psíquicos que qualquer ser humano.

Atualmente há no mundo cerca de 2 bilhões de pessoas que se afirmam cristãs e 1,6 bilhão que se afirmam mulçumanas. Entretanto, os líderes religiosos das mais variadas correntes desconhecem completamente as técnicas poderosas que o homem aplaudido por mais da metade da humanidade usou para gerir sua mente, filtrar estímulos estressantes, educar a emoção de seus discípulos. Por isso é tão fácil adoecer hoje.

Ser líder – religioso ou empresarial – na atualidade é um convite a asfixiar a emoção. Os liderados não só têm pouca ou nenhuma habilidade para ser proativos, empreendedores, criativos, como também carregam na bagagem mental um conjunto de transtornos psíquicos – de timidez a fobias, de ansiedade a baixo limiar para suportar frustrações. Despreparados, os líderes adoecem junto com seus liderados.

Quando Jesus viveu o ápice do estresse?

Era de esperar que o cérebro do professor da Galileia fosse extremamente estressado, estivesse em contínuo estado de alerta, uma vez que suas ideias revolucionárias o colocavam em constante risco de morte. E, para completar sua fonte de problemas, Jesus escolheu liderar um time de jovens que só lhe davam dores de cabeça. O mais dosado e culto, com vocação social, era Judas Iscariotes – que, no entanto, tinha um defeito oculto e gravíssimo: não era transparente, não tinha contato com seus fantasmas mentais.

Apesar dos vales dramáticos dos estímulos estressantes que o homem Jesus atravessou, ele convidava as pessoas a beberem de sua tranquilidade: "Quem tem sede venha a mim e beba". Ou ele delirava, ou temos aqui o mestre do autocontrole. No Getsêmani, momentos antes de ser traído e preso, vivenciou o ápice do estresse. Pela medicina, a hematidrose, manifestada pelo aumento da pressão sanguínea e por suor sanguinolento, representa o ápice do colapso físico e mental. Lucas foi o único biógrafo capaz de notar esses sintomas; tinha de ser um médico para fazer tal diagnóstico. O mestre dos mestres sofreu um estresse dantesco não porque se curvou ao medo ou à preocupação neurótica com sua imagem social, mas porque se preparava para suportar o insuportável e de forma diferente de qualquer outro ser humano.

Freud baniu da família psicanalítica quem contrariou suas ideias, como Jung e Adler. Ele fugiu do estímulo estressante, ao passo que o homem Jesus passou por estímulos dramaticamente mais potentes e se recusou a fugir deles. Ele os enfrentou e teve autocontrole. E o que o esgotou foi o fato de tê-los enfrentado não como um predador, mas como um poeta da generosidade.

Queria manter a serenidade nos vales da loucura, manter o equilíbrio quando caluniado, reagir com brandura quando esbofeteado, manter-se lúcido quando açoitado e, por mais inacreditável que pareça para a psiquiatria e a psicologia, poupar e até interceder em favor de seus torturadores quando crucificado: "Pai, perdoa-os porque eles não sabem o que fazem".

Todo esse mecanismo de preparação levou o cérebro de Jesus ao ápice do estresse, mas ele não reclamou; ao contrário, retomou os instrumentos de navegação de sua mente e voltou a ser líder de si mesmo. Só isso explica

> O mestre dos mestres sofreu um estresse dantesco não porque se curvou ao medo ou à preocupação neurótica com sua imagem social, mas porque se preparava para suportar o insuportável e de forma diferente de qualquer outro ser humano.

por que, quando Judas apareceu com uma escolta e o traiu com um beijo, ele o chamou de amigo. Jesus não tinha medo de ser traído; tinha medo, sim, de perder um amigo.

E mais: Jesus deixou atônita a filosofia ao fazer uma pergunta a Judas: "Amigo, para que vieste?". A pergunta é o princípio da sabedoria na filosofia. As perguntas induzem a curiosidade, a interiorização, a reflexão e a elaboração de novas ideias. Ele sabia por que Judas estava lá, mas desejava que este rompesse o cárcere da síndrome do circuito da memória e reescrevesse a própria história.

Diferentemente de milhões de pais e professores, Jesus valorizava a pessoa que erra mais do que o próprio erro. Ele nunca apontava a falha em primeiro lugar; preferia ensinar a pensar. Ao estudar o mestre dos mestres do gerenciamento do estresse, eu cunhei esta frase: nunca alguém tão grande se fez tão pequeno para tornar os pequenos grandes.

Se as religiões tivessem estudado pela perspectiva psicológica aqueles que elas amam e aplaudem, esse intrigante planeta azul não seria palco de tantas guerras, mas um jardim de emoções saudáveis. Eu tenho um projeto, intitulado *Jesus: o homem mais inteligente da história*, que aborda o personagem mais famoso da humanidade pelo ângulo das ciências, e não da religião. Esse projeto provavelmente se tornará um seriado internacional. Aguardem.

> Ao estudar o mestre dos mestres do gerenciamento do estresse, eu cunhei esta frase: nunca alguém tão grande se fez tão pequeno para tornar os pequenos grandes.

Um gestor de pessoas que poupava seu cérebro

Pela tese das ciências políticas, poder-se-ia supor que Jesus usaria seu poder, sua eloquência e sua influência para transformar homens e mulheres em seguidores cegos, mas, para espanto da sociologia, ele tinha a ousadia de pedir que as pessoas não falassem sobre seus feitos. Sua maturidade como gestor de pessoas era fascinante. Ele sabia que o poder compra bajuladores, mas não amigos; que a fama compra admiradores, mas não empreendedores; que o dinheiro compra a cama, mas não o descanso.

Como líder, Jesus sonhava em formar pensadores, não servos. Servos precisam ser comandados, pensadores são autômatos; servos se rebelam, pensadores lutam pela causa até a última gota de energia. Ao contrário de muitos políticos da atualidade, infectados pela necessidade neurótica de ser o centro das atenções, o mestre dos mestres não alardeava suas obras, amava a discrição, fazia do silêncio uma poesia, do anonimato um instrumento para ensinar que as pequenas coisas são o verdadeiro espetáculo do prazer e da realização.

Seu sonho era fazer muito do pouco, comprar o que o dinheiro não podia pagar. Pois sabia que quem faz pouco do muito é um miserável; que quem precisa de reconhecimento, aplauso, bajulação, holofote para sentir migalhas de prazer é paupérrimo. Seu projeto era formar alunos capazes de ser autores da própria história, que não tivessem medo da dor, das crises, das lágrimas, alunos cujo único medo fosse o de não usá-las para enriquecer a própria personalidade. Reitero: Jesus não procurava alunos cegos, mas pensadores capazes de sonhar em melhorar o mundo. Sabia que, para sobreviver numa sociedade estressante, não bastava ter cultura, ética, seguir um manual de boa conduta – era necessário desenvolver a resiliência.

O último jantar

Jesus não se curvou diante da decepção, da frustração, da negação, da traição. Por ser resiliente, jamais abandonou seus alunos, nunca deixou os feridos pelo caminho, como nós fazemos com as pessoas que nos frustram. Até o último minuto, apostou tudo o que tinha naqueles que pouco tinham. O sonho espetacular de transformar homens rudes e radicais em poetas da solidariedade e da tolerância o consumia.

Seu comportamento na última ceia foi bombástico. Jesus não deveria ter ânimo para jantar nem para ensinar nada. Você se sentaria à mesa com seu traidor, com seu negador e com um bando de pessoas que lhe dariam as costas no momento mais difícil de sua vida? Para assombro das ciências da educação, ele se sentou e foi muito mais longe. Não fechou o circuito da memória; ao contrário, gerenciou seu estresse, abriu o leque de sua mente e teve a habilidade de dar lições inesquecíveis a seus alunos, que frequentemente o decepcionavam.

A última ceia é provavelmente o evento mais conhecido da história, imortalizado inclusive por Da Vinci em sua magna pintura. No entanto é, sem dúvida, o evento menos conhecido pelo ângulo da psicologia e da psiquiatria. Estavam todos reunidos: o mestre e seus alunos. O mestre sabia que estava em seus momentos finais, porém acreditava que ainda tinha de dar lições inesquecíveis sobre a superação de quatro tipos penetrantes de necessidade neurótica: de poder, de ser o centro das atenções sociais, de controlar os outros e de estar sempre certo.

Jesus estava no auge da fama, mas, de forma surpreendente, pegou uma toalha e uma bacia com água, curvou-se aos pés daqueles jovens e silenciosamente começou a lavá-los. Com isso, ele gritou silenciosamente. O fenômeno RAM arquivou janelas saudáveis inesquecíveis no solo do córtex cerebral de seus alunos. Pedro era agitado e ansioso.

João era afetivo, porém tinha baixíssima tolerância a contrariedades, sua emoção era flutuante. Tomé era paranoico, desconfiado de tudo e de todos. Todos eles ficaram atônitos. Que estratégia incrível para formar pensadores a partir de mentes incautas!

Entretanto, toda escolha implica perdas. Jesus preferiu perder seu *status* de mestre para elevar o *status* da sabedoria de seus aprendizes! Que homem foi esse que usou técnicas pedagógicas admiráveis, até hoje desconhecidas da pobre educação cartesiana, especialista em formar mentes unifocais, repetidoras de informações?

Quando as palavras eram insuficientes, seus gestos ofereciam aos alunos lições inesquecíveis. Se quisessem ser dignos do poder, teriam de usá-lo para servir à sociedade, e não para ser servidos por ela. Se desejassem controlar o estresse, teriam que superar a necessidade doentia de controlar os outros. Se quisessem ser líderes sociais, teriam de ser líderes da própria mente. O maior formador de gestores de pessoas da história sabia poupar seu cérebro, preferindo se sentar no fundo da plateia, num espaço sem honrarias, para ver seus alunos brilhar no palco. Era uma fonte de mentes saudáveis.

Você é capaz de dar o seu melhor aos alunos ou aos filhos que o frustram? Jesus sabia que ninguém muda ninguém. Só as próprias pessoas podem se reciclar. Ele não tentou mudar o pensamento de Pedro ou de Judas. Deixou que seguissem

> Quem critica demais aqueles que falham acaba por desistir das pessoas que ama – e, um dia, poderá desistir de si também, pois também se frustrará consigo.

seu curso, apenas os estimulando a ter consciência crítica. Nós precisamos de pessoas que vivam suave e livremente, que sejam capazes de relaxar diante das próprias crises e da estupidez alheia. Quem critica demais aqueles que falham acaba por desistir das pessoas que ama – e, um dia, poderá desistir de si também, pois também se frustrará consigo.

13

A vida: um espetáculo de prazer ou de estresse

Viver é um contrato de risco

Neste livro, você acompanhou a descrição de parte da minha biografia. Antes de ser publicado em tantos países e ter meus textos usados como referência em teses de pós-graduação, tive de encarar minha estupidez, reconhecer minha ignorância, lidar com rejeições e descrédito, enfrentar minhas derrotas e lágrimas. Sem resiliência, não teria sobrevivido. Era desconcentrado, alienado, não tinha projeto de vida. Um péssimo aluno. Tive de me reinventar.

Montanhas e vales, invernos e primaveras se sucedem. A humilhação de hoje pode se converter em glória amanhã; e a glória de hoje pode se converter num cálido anonimato. Estamos preparados? Você está? Nada é extremamente seguro na existência humana. Se quisermos desenvolver resiliência e turbinar nossos sonhos e disciplina, devemos valorizar a vida muito mais do que o sucesso, os aplausos, o reconhecimento social. Tudo é efêmero, passa muito rápido.

Muitos cientistas, antes de fazer grandes descobertas, foram criticados, excluídos, até chamados de loucos. Houve grandes políticos que só tiveram êxito após amargar inúmeros fracassos. Alguns grandes empresários só atingiram o apogeu depois de visitar os vales da falência, da escassez, do vexame público.

Quem quer o brilho do sol tem de cultivar habilidades para superar as tempestades. Quem sonha com uma felicidade inteligente e saudável tem de ser resiliente para atravessar o breu da noite. Não há milagres. A vida é um grande contrato de risco, saturado de aventuras e imprevisibilidade. O que vale a pena não vem de graça. A única certeza é que não há certezas.

> Se quisermos desenvolver resiliência e turbinar nossos sonhos e disciplina, devemos valorizar a vida muito mais do que o sucesso, os aplausos, o reconhecimento social.

O drama e o lírico: exemplos de líderes que não se curvaram ao caos

De todos os materiais, a água é o mais resiliente. Sobe até os céus, desce como gotas de lágrima, percorre corredeiras, despenca nas cachoeiras, cabe orgulhosamente no oceano ou humildemente no contorno dos olhos. Não resiste aos obstáculos; desvia sem reclamar. Deveríamos ser como a água. Caímos, nos levantamos. Somos pisados, contornamos. Somos excluídos, evaporamos, vamos para outros ares.

Entretanto, como não treinamos o Eu para lidar com as dores e as perdas da existência, somos escravos das janelas killer. Andamos em círculos, pensando em nossas mazelas, gravitando na órbita de ofensas, crises, dificuldades. Gastamos desnecessariamente uma enorme quantidade de energia. Somos frequentemente não como a água, mas como o vidro – forte, duro e rígido, porém incapaz de suportar um trauma, que se estilhaça.

Quem desenvolve resiliência adoça a vida, mesmo que ela tenha sido amarga; torna-se generoso, mesmo que tenha sido excluído; contempla o belo, ainda que não tenha tido motivos para ser feliz; julga menos e se entrega mais.

Giordano Bruno, filósofo italiano, andou errante por muitos países procurando uma universidade onde expor suas ideias. Foi banido, excluído, chamado de louco, mas não desistiu de seu projeto de vida. Sem ninguém para

> A vida é um grande contrato de risco, saturado de aventuras e imprevisibilidade.

ouvi-lo, procurou em seu próprio mundo aconchego para superar a solidão. Experimentou diversos tipos de perseguição, que culminaram na sua morte.

Baruch Spinoza, um dos pais da filosofia moderna, foi banido da comunidade pela convulsão causada por suas ideias. Chegaram a amaldiçoá-lo: "Que ele seja maldito durante o dia e maldito durante a noite; que seja maldito deitado e maldito ao se levantar; maldito ao sair e maldito ao entrar...". O dócil pensador teve de aprender a desenvolver resiliência no mais cáustico inverno da discriminação. Venceu o preconceito, o deboche, os vales sórdidos da exclusão social.

Immanuel Kant foi tratado como um cão, por conta do incômodo que suas ideias causavam aos radicais de seu tempo. Apesar do dramático estresse que vivenciou, não se abandonou, não se curvou diante das calúnias, não deixou de defender suas ideias, não foi infiel à sua consciência. Como admirável professor, ensinava seus alunos a serem mentes livres e não encarceradas.

Voltaire também passou por drásticas rejeições, pressões e inumeráveis riscos. Vivia às turras com o filósofo Rousseau. Voltaire acreditava que o destino era uma questão de escolha, e não algo inevitável. O grande iluminista francês sofreu forte oposição, mas sabia que os maiores inimigos não estavam no teatro social, e sim em sua própria mente. Sabia que, sem filtrar minimamente os estímulos estressantes, viveria assombrado, não por seus opositores, mas por seus fantasmas emocionais.

Voltaire, Agostinho, Spinoza, Kant, Sócrates, Sartre, Piaget, Freud, Vygotsky influenciaram a humanidade não porque pegaram em armas, mas porque entenderam que as ideias são mais poderosas do que as armas; que o pensamento crítico é mais penetrante do que a mais afiada das espadas. Eles falharam, choraram, tiveram noites de insônia, passaram pelos vales da infâmia, mas, mesmo sem conhecer técnicas da psicologia moderna, usaram-nas intuitivamente para não permitir que o meio ambiente estressante os controlasse. Entenderam que sonhos sem disciplina produzem pessoas frustradas e que disciplina sem sonhos produz autômatos, pessoas que só obedecem a ordens, e não autônomos, pessoas que dirigem o próprio veículo mental.

Libertar nosso imaginário, nos interiorizar, valorizar a solidão criativa, mapear nossos conflitos são atitudes que nos estimulam a conquistar aquilo que é quase inconquistável: os solos da emoção. Como eu já disse algumas vezes: alguns têm fortunas, mas mendigam o pão da alegria; têm cultura, porém falta-lhes o pão da tranquilidade; têm

> Quem desenvolve resiliência adoça a vida, mesmo que ela tenha sido amarga; torna-se generoso, mesmo que tenha sido excluído; contempla o belo, ainda que não tenha tido motivos para ser feliz; julga menos e se entrega mais.

fama, mas não têm um ombro amigo para chorar; são eloquentes, mas se calam sobre si, não conseguem conversar com suas mágoas, seus medos e suas manias; moram em residências confortáveis, mas não descansam, não desfrutam de seu sucesso (deste desfrutarão seus filhos, genros, noras, amigos); valorizam os direitos humanos, mas violam seus próprios direitos, principalmente o de ser feliz e saudável.

Surdos para as súplicas de um cérebro estressado

Se viver é uma experiência única, indescritível, inimaginável, extraordinária, complexa, saturada de mistérios e, ao mesmo tempo, regada a surpresas e acidentes, deveríamos, em nossa curta trajetória existencial, procurar os mais belos projetos de vida e ter a mais impecável disciplina para executá-los. O que faz você recuar: o medo de falhar? De cair no ridículo? Do vexame? Da crítica social? Ninguém é digno dos aplausos se não aprender a suportar e utilizar a seu favor as vaias. Que metas instigam seu Eu? Por que vale a pena viver? Quais sonhos o controlam?

Eu me expus nesta obra. Passei mais de um quarto de século observando, analisando, reciclando, produzindo conhecimento, correndo como um louco atrás do projeto de construir uma nova teoria sobre o funcionamento da mente, a construção de pensamentos e a formação do Eu como gestor da mente humana, bem como correndo atrás do sonho de contribuir de alguma forma para que a humanidade seja mais generosa e inteligente. Lágrimas adubaram meu caminho, insônias foram meu cobertor, rejeições perfumaram meus dias. Não são os estímulos estressantes que exaurem o cérebro, mas o que fazemos com eles.

Thomas Edison fez milhares de tentativas antes de chegar à sua famosa lâmpada elétrica. Viveu o mundo obscuro do fracasso para conseguir iluminar o mundo material. Lembre-se de que um surdo, Beethoven, compôs a *Quinta sinfonia*; a paixão louca e incontrolável por seus sonhos o fez ouvir o inaudível em vez de se curvar ao sentimento de impotência. Todos os indivíduos que realizaram algo na história – incluindo cientistas, juristas, médicos, jornalistas, educadores e tantos outros profissionais que permaneceram no anonimato – foram, em algum momento, debochados, escarnecidos, caluniados e tachados de insanos, obsessivos, obstinados. Isso porque eles saíram da curva.

Ser produtivo, proativo, ousado e rebelde em relação ao cárcere da rotina é uma forma de domesticar o estresse. Uma pessoa mal resolvida, não realizada, improdutiva esgota sua emoção com mais facilidade. Como? Reclamando, punindo-se, cobrando demais de si, posicionando-se como vítima do mundo. O sistema social nos pressiona a ficar dentro da curva, a concordar, a nos comportar e interpretar os eventos sempre da mesma maneira. A Síndrome do Circuito Fechado da Memória psicoadaptativa (CiFe p) nos leva a uma mesmice interminável. A CiFe p é diferente da CiFe killer: esta produz um estresse agudo, enquanto aquela produz um estresse crônico, contínuo.

Deixe-me explicar mais detidamente esse fenômeno. Como já explicado, quando entramos numa janela killer – por exemplo, o medo de falar em público –, o volume de tensão fecha o circuito da memória, bloqueando milhares de janelas ou arquivos saudáveis que impedem o Eu de encontrar milhões de dados para dar respostas inteligentes. Esta é a CiFe killer. Nesse caso, o Eu deixa de ser pensante, *Homo sapiens*, e se torna *Homo bios*, um animal prestes a lutar ou fugir, o que gera um estresse intenso, porém momentâneo.

Na CiFe p, não entramos numa janela killer, mas num grupo de arquivos que nos faz reagir sempre da mesma maneira. Por isso, chamo-a de "síndrome do apertador de parafusos". A vida toda, a pessoa conserta a máquina apertando sempre o mesmo parafuso, sem saber que pode reinventar a máquina.

Há centenas de milhões de alunos e profissionais asfixiados que não percebem que lhes falta oxigênio emocional para respirar livremente. Eles vivem encarcerados pela rotina. Não se reinventam, não se atualizam, não progridem. Deveriam levantar as mãos, questionar, debater ideias, ler, criar, fazer da escola ou da empresa um canteiro de sonhos e oportunidades, mas são vítimas da Síndrome do Circuito Fechado da Memória psicoadaptativa. Vivem estressados pelo uso excessivo de *smartphones*, ocupados em entrar nas redes sociais, ansiosos em responder as mensagens que recebem.

Eles se esquecem de abrir a caixa de mensagens de sua mente e de seu corpo. Seu cérebro está esgotado, seu organismo sofre com fadiga excessiva, cefaleia, dores musculares, preocupação com o futuro, porém eles não ouvem esses sinais e sintomas e, portanto, não enviam esta simples mensagem para si: "Eu vou gerenciar meu estresse e cuidar carinhosamente de minha saúde emocional".

Já que esses indivíduos não tomam atitude, o cérebro, por estar no limite, percebendo que o Eu não assume o papel de gestor da psique, apaga determinados arquivos da memória. Deste modo, temos os famosos brancos ou esquecimentos, que, na realidade, são uma tentativa da mente de ser menos inquieta, de pensar menos bobagens e de ter preocupações. Desesperados, alguns indivíduos pensam que estão ficando esclerosados, sem saber que o cérebro os está abraçando com mecanismos instintivos.

Máquinas de pensar e trabalhar, acordai-vos!

A humanidade precisa mais de protagonistas do que de espectadores, mais de atores que atuam no palco do que de plateias passivas que sabem que a vida é fugaz, porém vivem como se fossem imortais. Infelizmente, mentes estressadas enterram seus melhores sonhos nos terrenos de sua ansiedade.

No romance *O vendedor de sonhos*, eu conto a história de um dos homens mais ricos do mundo. Reis o cortejavam, presidentes se curvavam diante dele. Era um homem ético, culto, inteligente, notável empreendedor – só que acertou no trivial e errou no essencial. Tinha tempo para tudo, menos para si e para as pessoas que amava, como sua esposa e seus dois filhos. Vivia a Síndrome do Circuito Fechado da Memória, se psicoadaptou a ser uma máquina de trabalhar.

Fatigado, ansioso, estressado, à beira de um colapso, ele um dia resolveu saldar seu débito. Todo ser humano contrai dívidas, pelo menos emocionais. O homem marcou uma

> A humanidade precisa mais de protagonistas do que de espectadores, mais de atores que atuam no palco do que de plateias passivas que sabem que a vida é fugaz [...].

viagem em família e prometeu que, na volta, mudaria sua agenda, rolaria no tapete com os filhos, correria por entre as árvores, seria o melhor pai do mundo e o marido mais encantador. Os filhos ficaram eufóricos. Sua esposa voltou a ter brilho nos olhos. Eles não queriam seu dinheiro, mas sua presença; queriam o que o ouro não pode comprar.

Chegou o dia da viagem. No entanto, antes do embarque, um telefonema: mais uma grande fusão, mais centenas de milhões de dólares em jogo. O homem pediu desculpas à mulher e aos filhos e disse que, no dia seguinte, pegaria outro avião e os encontraria. Os filhos ficaram com os olhos lacrimejantes, a esposa abaixou a cabeça. Outra promessa não cumprida. E a vida é um grande contrato de risco. Não houve tempo para o homem pagar sua conta emocional: o avião em que estava sua família sofreu um acidente...

O mundo desabou sobre aquele homem. Chorava dia e noite. Perdeu o que mais amava. Perdeu o essencial, ficou com o resto: poder, *status*, fama, uma fortuna incalculável. Tornou-se um miserável morando na mais bela mansão.

Deprimido, procurou psiquiatras, mas, embora existam moléculas para tratar de depressão (antidepressivos), não existe qualquer molécula para tratar de sentimento de culpa. Por isso é fundamental dar sempre uma nova chance a si mesmo e aos outros. Quem não aprende a se perdoar e se reinventar se destrói.

Ele pensou em não viver mais, porém, felizmente, em vez de extirpar a própria vida, deu uma nova chance para si mesmo. Em meio a um mar de lágrimas, vestiu um casaco esfarrapado, uma calça rasgada e saiu como mendigo pelo mundo em busca do maior de todos os endereços, um endereço que poucos encontram: o endereço de si mesmo.

Aos famintos, ele dava o pão de trigo; aos estressados e deprimidos, procurava dar o pão da alegria e da tranquilidade; aos que perderam o sentido da vida, vendia vírgulas. Vírgulas? Sim, vírgulas para que escrevessem os capítulos mais importantes de sua história nos momentos mais dramáticos de sua existência. Assim, o homem se reinventou e se tornou um vendedor de sonhos. Usou sua dor para se construir, e não para se destruir. Mais uma vez, exalto essa ferramenta: controlar o estresse e usar a dor para amadurecer, e não para punir ou se apequenar, faz toda a diferença.

O vendedor de sonhos estará nas telas do cinema em breve – a previsão é dezembro de 2016. O diretor do filme, em nossas longas conversas, me disse algumas vezes que filmar esse complexo personagem é o maior desafio de sua carreira. Um dos motivos é que sua história tem um pouco da biografia de cada um de nós. É tão fácil acertar no trivial e errar no essencial...

Você e eu erraremos muitas vezes, mas espero que não erremos no essencial. Espero que você não precise atravessar o caos e ir à falência emocional para se reciclar e valorizar as pessoas que ama. Espero ainda que você não seja uma máquina de trabalhar, de pensar, de resolver problemas, mas um ser humano em construção.

Infelizmente, nos cemitérios estão soterrados os maiores tesouros da humanidade. As mais belas músicas que artistas nunca tiveram coragem de compor estão lá. As poesias e os romances mais inspiradores que jamais foram escritos também estão lá. As pesquisas mais interessantes, as empresas mais notáveis que nunca saíram do papel estão enterradas com seus potenciais autores. Nos cemitérios, estão enterradas as pessoas que almejaram ver dias mais felizes e relaxantes, mas que não tiveram tempo para materializar seus sonhos. É uma grande pena, um grande prejuízo para a humanidade.

Devemos sempre nos perguntar: silenciaremos nossos projetos enquanto a vida pulsa em nossas artérias? Treinar diariamente atitudes como desacelerar a mente, comer com calma, caminhar mais devagar, falar pausadamente, ter fins de semana solenes, abraçar o travesseiro, namorar a cama, desenterrar os projetos de vida é uma forma excelente de gerenciar a ansiedade, controlar o estresse e aplaudir a vida como espetáculo único!

A escolha é sua, e as consequências de suas escolhas também...

FIM

Aguarde outros títulos de Ansiedade.

Referências bibliográficas

ADORNO, Theodor W. *Educação e emancipação*. Rio de Janeiro: Paz e Terra, 1971.

AYAN, Jordan. *AHA! – 10 maneiras de libertar seu espírito criativo e encontrar grandes ideias*. São Paulo: Negócio, 2001.

BAYMA-FREIRE, Hilda A.; ROAZZI, Antônio. *O ensino público é um desafio para todos: encontros e desencontros no ensino fundamental brasileiro*. Recife: UFPE, 2012.

CAPRA, Fritjof. *A ciência de Leonardo da Vinci*. São Paulo: Cultrix, 2008.

CHAUÍ, Marilena. *Convite à filosofia*. São Paulo: Ática, 2000.

CURY, Augusto. *A fascinante construção do Eu*. São Paulo: Planeta, 2012.

_____. *Gestão da emoção*. São Paulo: Benvirá, 2015.

_____. *Inteligência multifocal*. São Paulo: Cultrix, 1999.

_____. *O código da inteligência*. Rio de Janeiro: Ediouro, 2009.

CURY, Augusto. *Pais brilhantes, professores fascinantes*. Rio de Janeiro: Sextante, 2003.

DESCARTES, René. *O discurso do método*. Brasília: UnB, 1981.

DOREN, Charles Van. *A History of Knowledge*. Nova York: Random House, 1991.

FOUCAULT, Michel. *A doença e a existência*. Rio de Janeiro: Folha Carioca, 1998.

FREUD, Sigmund. *Obras completas*. Madri: Editorial Biblioteca Nueva, 1972.

FROMM, Erich. *Análise do homem*. Rio de Janeiro: Zahar, 1960.

GARDNER, Howard. *Inteligências múltiplas: a teoria na prática*. Porto Alegre: Artes Médicas, 1994.

GOLEMAN, Daniel. *Inteligência emocional*. Rio de Janeiro: Objetiva, 1995.

HALL, Calvin S.; LINDZEY, Gardner. *Teorias da personalidade*. São Paulo: EPU, 1973.

HUBERMAN, Leo. *História da riqueza do homem*. Rio de Janeiro: Guanabara, 1986.

JUNG, Carl Gustav. *O desenvolvimento da personalidade*. Petrópolis: Vozes, 1961.

LIPMAN, Matthew. *O pensar na educação*. Petrópolis: Vozes, 1995.

MORIN, Edgar. *Os sete saberes necessários à educação do futuro.* São Paulo: Cortez, 2000.

PIAGET, Jean. *Biologia e conhecimento.* Petrópolis: Vozes, 1996.

SARTRE, Jean-Paul. *O ser e o nada.* Petrópolis: Vozes, 1997.

STEINER, Claude. *Educação emocional.* Rio de Janeiro: Objetiva, 1997.

YUNES, Maria Angela Mattar. *A questão triplamente controvertida da resiliência em famílias de baixa renda.* Tese (Doutorado em Psicologia da Educação) – Pontifícia Universidade Católica de São Paulo, São Paulo, 2001.

Carta aberta aos pais e professores

Estamos assistindo ao assassinato da infância e da juventude em todas as nações modernas. Temos saturado nossos filhos e alunos de atividades, jogos, cursos, computadores, internet, *videogames*, celulares e horas a fio de televisão. É uma geração que não tem tempo para brincar, se aventurar, se interiorizar e muito menos para lidar com frustrações. Não é sem razão que estamos diante da geração mais triste que pisou nesta terra, embora ela tenha acesso à mais poderosa indústria do entretenimento. Crianças e jovens precisam de muitos estímulos para sentir migalhas de prazer. Não é sem motivo que tem ocorrido a infantilização da emoção. Jovens com 20, 30 anos têm a idade emocional de 10, 12 anos: não sabem pensar antes de reagir, ser criticados, adaptar-se a perdas, se reinventar diante das crises, lutar por seus sonhos.

Caros pais e educadores, precisamos estar cientes de que sem a infância perde-se a melhor fase da vida para formar as plataformas de janelas light (arquivos saudáveis) na memória de nossos filhos e alunos para o desenvolvimento de uma mente livre e de uma emoção saudável.

Sem uma infância rica, o Eu das crianças e dos jovens, que representa a consciência crítica e a capacidade de escolha, não desenvolverá suas habilidades para torná-los autores da própria história.

O sistema educacional mundial está doente. Ele enfoca as funções cognitivas, como memória, raciocínio, habilidades técnicas, mas pouco trabalha as habilidades socioemocionais, enfim, as importantíssimas "funções não cognitivas" que são vitais para o futuro dos nossos jovens, como proteger a emoção, gerir os pensamentos, a capacidade de colocar-se no lugar do outro, de expor e não impor suas ideias, de trabalhar perdas e frustrações, de ser proativo, de construir relações saudáveis. Essas habilidades são muito mais complexas do que ensinar simples valores, como honestidade e respeitabilidade.

Faça um pequeno teste sobre o esgotamento cerebral de seus filhos e alunos. Pergunte se eles acordam cansados, se têm dores de cabeça, dores musculares, se sofrem por antecipação, se têm dificuldade para dormir, se são pouco tolerantes com pessoas lentas, se têm a mente agitada e déficit de memória. Você irá às lágrimas ao fazer esse simples teste em casa ou na sala de aula. A grande maioria das crianças e dos jovens, mesmo os que frequentam escolas com mensalidades caríssimas, está com vários desses sintomas.

Esses sintomas revelam que crianças e adolescentes estão desenvolvendo uma nova síndrome, a Síndrome do Pensamento Acelerado (SPA), que descrevi no livro *Ansiedade – Como enfrentar o mal do século*.

Pensando em uma maneira de ajudar crianças e jovens de todo o mundo a se conhecerem melhor e se tornarem adultos mais equilibrados e emocionalmente saudáveis, escrevi a série "Petrus Logus", que narra as aventuras de um jovem e inteligentíssimo príncipe que precisa salvar o mundo da destruição e, ao mesmo tempo, lidar com seus próprios sentimentos e preconceitos. Este livro é também um alerta sobre as consequências do aquecimento global. Vamos juntos formar milhares de Petrus Logus, líderes brilhantes que mudarão o mundo.

A série já está em seu segundo volume, e o primeiro, *Petrus Logus – O guardião do tempo*, em breve ganhará as telas dos cinemas. Espero, com essa obra, contribuir ainda mais com a nossa tão necessitada sociedade.

Escola da Inteligência

Imagine uma escola que ensina não apenas a língua a crianças e adolescentes, mas também o debate de ideias, a capacidade de se colocar no lugar do outro e de pensar antes de reagir para desenvolver relações saudáveis. Uma escola que não ensina apenas a matemática numérica, mas também a matemática da emoção, onde dividir é aumentar, e também ensina a resiliência: a capacidade de trabalhar perdas e frustrações. Continue imaginando uma escola que ensina a gerenciar pensamentos e a proteger a emoção para prevenir transtornos psíquicos. Pense ainda numa escola onde educar é formar pensadores criativos, ousados, altruístas e tolerantes, e não repetidores de informações.

Parece raríssimo, no teatro das nações, uma escola que ensine essas funções mais complexas da inteligência, porém agora há um programa chamado Escola da Inteligência (E. I.), que entra na grade curricular, com uma aula por semana e rico material didático, para ajudar a escola do seu filho a se transformar nesse tipo de escola.

O dr. Augusto Cury é o idealizador do programa Escola da Inteligência. Vamos às lágrimas ao vermos os resultados em mais de 100 mil alunos. Há dezenas de países interessados em aplicá-lo. O dr. Cury renunciou aos direitos autorais do programa E. I. no Brasil para que este seja acessível a escolas públicas e particulares e haja recursos para oferecê-lo gratuitamente a jovens em situação de risco, como os que vivem em orfanatos. Converse com o diretor da escola do seu filho para conhecer e adotar o programa E.I. O futuro emocional do seu filho é fundamental.

Para obter mais informações e conhecer as escolas conveniadas da E. I. mais próximas de você, acesse: www.escoladainteligencia.com.br ou ligue para (16) 3602-9420.

Academia de Gestão da Emoção

A produção de conhecimento do dr. Augusto Cury e as suas decisões não têm apenas impactado leitores de muitas nações, mas também têm sido assunto da grande mídia. Seu mais novo projeto, que vem sendo desenvolvido nos últimos dez anos, é a Academia de Gestão da Emoção on-line. Trata-se da primeira academia de gestão da emoção do planeta; uma escola digital com programas gratuitos e projetos sociais fascinantes, com foco na prevenção do *bullying*, do suicídio e no fim da ditadura da beleza.

A academia também oferece cursos e seminários de Coaching de Gestão da Emoção. Nesse projeto, você aprenderá as ferramentas mais importantes para gerenciar a sua mente, superar os cárceres mentais e ser autor de sua história!

Para conhecer mais o projeto, acesse:
www.omelhoranodasuahistoria.com.br

#Augustocury #omelhoranodasuahistoria
#academiadegestaodaemocao
#4semanasparamudarasuahistoria

Conheça outros títulos do autor:

Ansiedade - Como enfrentar o mal do século
Ansiedade 3 - Ciúme
Ansiedade - Como enfrentar o mal do século para filhos e alunos
Felicidade roubada
Gestão da emoção
Pais inteligentes formam sucessores, não herdeiros
Petrus Logus - O guardião do tempo
Petrus Logus - Os inimigos da humanidade